NOTRE CHER STADE OLYMPIQUE

*Lettres posthumes
à mon ami
Drapeau*

Données de catalogage avant publication (Canada)

Taillibert, Roger, 1926-

   Notre cher Stade olympique

   ISBN 2-7604-0761-6

1. Taillibert, Roger, 1926- – Correspondance. 2. Drapeau, Jean, 1916-1999 –
Correspondance. 3. Architectes – France – Correspondance, 4. Stade olympique
(Montréal, Québec). I. Drapeau, Jean 1916-1999. II. Titre.

NA1053.T34A3 2000   720'.92   COO-941219-0

ISBN 2-7604-0761-6

**Les Éditions internationales Alain Stanké remercient le Conseil des
Arts du Canada et la Société de développement des entreprises
culturelles (SODEC) de l'aide apportée à leur programme de
publication.**

**Nous reconnaissons l'aide financière du gouvernement du Canada par l'entremise du
Programme d'aide au développement de l'industrie de l'édition (PADIÉ) pour nos
activités d'édition.**

**Les Éditions internationales Alain Stanké
615, boul. René-Lévesque Ouest, bureau 1100
Montréal (Québec) H3B 1P5
Téléphone : (514) 396-5151
Télécopieur : (514) 396-0440
editions@stanke.com
www.stanke.com**

**Stanké International
12, rue Duguay-Trouin
75006 Paris
Téléphone : 01.45.44.38.73.
Télécopieur : 01.45.44.38.73.**

IMPRIMÉ AU QUÉBEC (Canada)

Roger Taillibert

Avec la collaboration de
Françoise Harmel

NOTRE CHER STADE OLYMPIQUE

*Lettres posthumes
à mon ami
Drapeau*

Stanké

Du même auteur

Montréal, Montréal, Éditions Hurtubise, 1976.

Construire l'avenir, Paris, Éditions Denoël, 1977.

Ouvrages parus sur l'auteur

«Parc des Princes, un temple pour la foule», François Loyer, *L'Œil,* n° 203, Paris, novembre 1971.

Roger Taillibert, René Huyghes, Paris, 1977.

À mon épouse Béatrice
qui vécut mes batailles olympiques avec passion et dignité.

Au Docteur Sophie Taillibert, ma fille,
qui souffrit des mensonges construits autour du Stade.

Avant-propos

Jean-Pierre Girerd va pouvoir recommencer à rire et à faire rire. La «réponse à Malouf» avec laquelle il a persécuté mon ami Jean Drapeau (assez tendrement, finalement, car son Drapeau est drôle et touchant) s'est aussi fait attendre de ma part. Et je m'y mettrais vingt-quatre ans en retard? Tout arrive à qui sait attendre, cher Girerd. Il y a plusieurs raisons à cette décision tant attendue.

Elles sont d'abord d'ordre privé. Jean Drapeau ne nous a quittés, usé, qu'en 1999. Tant qu'il vécut, je m'en rends compte aujourd'hui, je suis resté le petit élève devant le maître ès politique. Il m'écoutait pour l'architecture, je l'écoutais pour les affaires de la cité. Que me répétait-il toujours? Qu'il ne fallait pas répondre aux calomnies; il m'en avait convaincu. Je crois que son refus de descendre dans l'arène lui a épargné de se mettre au niveau, souvent bien bas, d'officines politiciennes dont il était sauf pour cause d'idéal politique, au sens athénien de civique. Néanmoins, il me demanda, dans ses derniers jours, de dire la vérité. Peut-être était-ce son dernier acte de maître-citoyen devant les dévergondages impénitents,

Avant-propos

et financiers, et sociaux, et philosophiques dont il eut, jusqu'au dernier jour, l'affligeant spectacle.

L'avocat qui nettoya la ville de son vieux système de concussion, l'avocat de l'idéal olympique et d'un humanisme qui portait la marque de sa vertu, s'est certainement voté un devoir de protestation et d'assainissement qu'il n'avait plus lui-même la force d'accomplir. Il était donc normal que ce fût moi, son vieil ami, son compagnon de lutte, qu'il choisît pour mener à bien cette ultime explication.

Depuis que je m'y suis décidé, je comprends que je devais le faire pour moi aussi; un sentiment étouffant de scandale m'a longtemps poursuivi, assez douloureusement.

Nous avons été tous deux outragés publiquement, internationalement; nos œuvres aussi ont souffert de falsification et de détournement.

Mes autres motifs sont plus désintéressés: ils proviennent directement de mon amitié pour le peuple québécois, pour ses grandes qualités de bravoure et de chaleur. Je n'ai pas toujours eu affaire aux meilleurs d'entre eux, ni au meilleur de leur culture. Pour m'être trouvé à un lieu stratégique d'importance pour leur identité, leur devenir, j'ai éprouvé ce que réservent les temps de crise, avec toutes leurs mauvaises surprises. Je dédie donc ce recueil de lettres écrites à mon grand ami québécois, à tous les Québécois qu'il aimait tant et qui le méritaient bien. J'espère ainsi défendre les intérêts d'un grand nombre de citoyens qui, comme partout, ont droit à la vérité. Les Québécois ont beaucoup payé et paient toujours... Ils ont le droit élémentaire de savoir ce qu'ils financent, ce dont on les prive, et pourquoi. C'est à eux seuls de choisir en toute connaissance de toute cause.

On dit souvent que l'écriture joue un rôle salvateur pour dépasser des situations douloureuses. L'une de mes souffrances, dans toute cette aventure du Stade olympique, c'est d'avoir perdu mon ami Jean Drapeau. Nous avons beaucoup partagé: de l'enthousiasme, des épreuves, des certitudes, des valeurs, des goûts. Je ne me suis pas résigné si facilement à perdre autant de riches moments avec sa fuite hors de nos horizons, ni à avoir aussi perdu mon témoin dans le ballet des falsificateurs. Je n'ai pu m'empêcher de poursuivre nos conversations. D'abord, en fouillant dans mes archives, à la recherche de nos échanges passés. Puis je me suis mis à lui écrire, souvent, tout le temps. Le livre sur toute l'histoire, écrit comme un rapport chiffré, structuré, organisé, je l'ai fait. Il dort dans mes tiroirs. C'est que je voulais aussi dire au revoir à mon cher Drapeau, que je n'appelle ainsi, si familièrement, que depuis qu'absent, il a droit à tous mes états d'âme les plus intimes: c'est son privilège nouveau de pur esprit...

Roger Taillibert

Dessin de Girerd

Dessin de Girerd

Cher ami,

Ce matin-là, j'avais reçu un coup de téléphone du ministre des Sports me demandant de vous recevoir.

Pour moi, c'était un honneur de vous voir dans mes bureaux. J'avais accepté tout de suite.

Vous étiez venu vers onze heures. Je vis arriver dans mon agence le petit homme tranquille, au visage doux et rond, chapeauté, au costume discret et surtout pas trop neuf de notaire de village, qui s'appelait Jean Drapeau.

Vous m'aviez tendu une main très blanche, d'une douceur de cire et très fine. Stupéfait, je vous avais vu ouvrir votre serviette pour en sortir, non pas un dossier, mais une bouteille de whisky que vous m'aviez offerte avec une simplicité que je n'oubliai jamais. C'est ainsi que dès les premiers instants, vous m'aviez fait boire un alcool que je ne consomme jamais, dans un climat déjà amical.

Dès que je commençai la projection d'un film de présentation de mes ouvrages, l'esthète amoureux des arts s'exprima avec une élégance de langue peu commune. Vous connaissiez très bien les grands architectes. Frank Lloyd Wright vous avait fasciné, Pei également. L'architecture, tout comme la musique, vous habitait. En regardant mon petit film, vous commentiez; passionné par les formes, les courbes, vous compreniez les choix architecturaux induits par les exigences du sport. Devant un dessin resté sur mon bureau, petite esquisse d'un espace à peine imaginé, vous n'aviez pas hésité à poser des questions pour mieux comprendre le projet et ma démarche. C'est ce que vous avez toujours fait par la suite, à chaque étape de notre travail.

Lettre un

Mes contacts avec de nombreuses municipalités et leur maire ne m'avaient pas habitué à de telles curiosités et richesses culturelles. Après avoir regardé la projection, nous allâmes, à la suggestion du ministre des Sports, voir le Parc des Princes en construction.

Le chantier était en pleine activité. Vous saviez que des ingénieurs de Détroit étaient venus le visiter, tout comme certains de vos collaborateurs.

Maire d'une grande ville et, par conséquent, appelé à gérer des projets importants, votre curiosité fut aiguisée, et je vous invitai à monter dans la zone des gradins supérieurs.

Cher Jean Drapeau, j'avais dû commettre une faute: vous ne suiviez plus, vous restiez immobile, comme figé. Sans honte, vous m'aviez alors dit: «J'ai le vertige.»

J'insistai pour vous faire visiter les consoles creuses. Prenant votre courage à deux pieds et d'une façon téméraire, vous n'aviez pas refusé de me suivre, mais en redescendant, vous m'aviez dit: «Jamais je ne recommencerai.»

Je n'ai révélé à personne cette embuscade à laquelle vous n'étiez pas préparé.

Nous étions ensuite allés déjeuner et, là, vous m'aviez raconté votre joie d'avoir obtenu à Amsterdam les Jeux pour Montréal. Il devenait très vite évident que vous ne viviez que pour votre ville et votre pensée permanente était de mettre sur le devant de la scène mondiale la valeur créative des Canadiens français. Vous la connaissiez, votre ville; ses carrefours, ses rues, ses lieux cosmopolites, tout en elle, de son histoire à son présent, vous était familier.

Nous avions ensuite poursuivi une discussion d'ordre général sur les Jeux précédents.

Nous venions juste de nous rencontrer; j'avais pourtant remarqué que si le Général avait crié: «Vive le Québec libre», vous aviez, vous, au cours de notre déjeuner, évité de parler de la France libre. Ce seront les premières heures que nous passerons ensemble.

Lettre deux

Abou Dhabi.

Ce soir, je suis à l'Hôtel lntercontinental d'Abou Dhabi, face à la mer, mais la chaleur m'impose de travailler dans ma chambre climatisée. La température extérieure est de quarante-cinq degrés.

Le calme le plus complet régnant ici, j'ai tout loisir de relire et rédiger ces lettres qui racontent notre histoire, celle d'une amitié née dans la lutte. On peut en sourire: les nouveaux Montaigne et La Boétie dans l'épopée des olympiades! Il n'est pas très coutumier que des hommes pris dans des affaires aussi sérieuses puissent ou osent exprimer leurs émotions et leurs sentiments. C'est beaucoup ignorer la solitude qu'engendrent bien des travaux où prévaut l'audace; et c'est bien sous-estimer à quel point peut être bouleversante une rencontre où l'un et l'autre se reconnaissent et se solidarisent dans la confiance, la complicité et le respect. Par-delà votre absence, pour en conjurer le poids et le manque qu'elle me crée, je travaille pour vous, pour moi, comme cela se passait de votre vivant.

Notre première rencontre devait être suivie de plusieurs autres et, en particulier, d'une visite approfondie de nombreux stades américains avec des techniciens en structures.

En août 1971, les responsables du Service des travaux publics de votre ville m'invitèrent à exposer mes réalisations et les techniques que j'avais utilisées, non seulement au Parc des Princes (le stade réalisé au meilleur coût au monde), mais aussi dans de nombreuses autres constructions mentionnées dans mon curriculum vitæ. J'ajouterai que le

Parc des Princes, trente ans plus tard et après avoir accueilli cinquante millions de spectateurs, connaît ses premiers travaux de maintenance.

Fin 1971, une étude préliminaire fut préparée avec ces mêmes services. L'ingénieur Claude Phaneuf et M. Alexandre Bourgault, désignés pour venir travailler à Paris, participèrent à l'élaboration des études afin de rencontrer les fédérations sportives le plus rapidement possible. Nous établîmes ensemble un programme général en nous basant sur le principe de l'interrelation des équipements les plus fréquentés pendant les Jeux.

Il fallait élaborer un plan-masse s'inscrivant dans le Parc Maisonneuve et intégrant l'ancien golf et le jardin botanique dans le vaste ensemble paysager de loisirs et de sports; ceci dans une stratégie de revitalisation de l'est de la ville en liaison avec le développement de la ville.

Les erreurs commises à Tokyo et Mexico, et l'amélioration de la solution retenue à Munich imposaient un regroupement des équipements, reliés aux moyens de transport souterrains de la ville; ceci devait permettre une grande fréquentation, un accès facile, un dégagement et une évacuation rapides de la foule, tout en protégeant celle-ci des intempéries.

Le choix du concept du Parc olympique fut parmi les décisions majeures de la Ville de Montréal, maître d'ouvrage de la XXIe olympiade. Le prolongement du métro devenait un élément unique dans le concept. Je découvrais avec enthousiasme l'ampleur de vos vues sur l'idéal olympique, sur l'avenir de votre ville, sur celui de l'homme aussi, car vous étiez habité d'un humanisme d'une qualité exceptionnelle. Le petit homme à chapeau était un grand visionnaire.

Lettre deux

Vous aviez livré une vraie bataille avec le Comité olympique pour réduire sa demande d'un stade de quatre-vingt mille à soixante-seize mille places. J'avais soufflé au président Havelanche qu'il faudrait que notre Stade fût ramené à cinquante-six mille cinq cents places après les Jeux, le complément jusqu'à soixante-seize mille pouvant être temporaire. Il en fut donc décidé ainsi. La même solution fut retenue pour les piscines, soit neuf mille places durant les Jeux, dont trois mille permanentes, chiffre qui constitue la capacité actuelle du nombre de spectateurs aux compétitions de natation.

Ce fut donc sur un programme précis de capacité qu'on développa une première étude. Il fallut tenir compte du climat très rigoureux en hiver et plus chaud en été, qui demandait une recherche de faisabilité pour les Jeux, mais aussi pour l'implantation future. Carrefour du sport international pour quelques semaines et probablement pour longtemps, facteur de rencontres et lieu de curiosité pour toute l'Amérique du Nord, ce complexe engageait Montréal dans une voie d'avant-garde et de mégapole internationale.

Faire cohabiter football, athlétisme et base-ball, nécessitait une adaptation géométrique. Notre choix se porta assez vite sur une ellipse, réponse idéale aux définitions de visibilité.

Votre ténacité eut raison: en réduisant la capacité, vous vous placiez dans une perspective d'investissement modeste, même si le juge Malouf n'a pas voulu comprendre le message.

Je vais aller maintenant sur mon chantier, aussi important que celui de Montréal, puisque nous avons près de trois mille ouvriers sans syndicats: ce n'est pas le même genre d'expérience. Cela me fait plaisir de vous parler ainsi, comme si, demain, j'allais vous entendre au téléphone. À très bientôt.

Vous ne vous étiez pas lancé aveuglément dans cette aventure: vous étiez un visionnaire lucide. Aussi aviez-vous déjà pensé tout un système d'autofinancement que vous étiez allé soumettre à Ottawa en même temps que vous commenciez vos démarches pour l'obtention des Jeux. Vous aviez besoin de faire voter une loi sur l'autofinancement afin de lancer au plus vite les opérations financières destinées à alimenter le budget des Jeux.

Dans de nombreux témoignages, vous aviez fait état de vos démarches auprès du gouvernement du Canada avant même la désignation de Montréal par le C.I.O. en mai 1970. Ces démarches se poursuivirent par la suite, lors de diverses rencontres et discussions avec les représentants du gouvernement fédéral. Lors de la présentation de la candidature de la Ville de Montréal, vous aviez déjà obtenu une entente de principe. Cet accord ne sera pourtant concrétisé dans sa forme légale qu'en juillet 1973, en raison d'obstacles politiques évidents. Ce vote, que fit passer le premier ministre Pierre Elliott Trudeau, vous ne l'obtiendrez qu'après avoir demandé son appui à un membre de l'opposition, M. John Diefenbaker, pour vous assurer d'un consensus autour du projet.

Toutes les discussions préalables, notamment celles qui eurent lieu en août 1972 entre le Premier Ministre du Canada, vous-même et le Président du Comité organisateur, laissaient pourtant entrevoir un dénouement beaucoup plus rapide de ces programmes d'autofinancement.

Lettre trois

Ce retard, que vous ne pouviez contrôler, avait décalé des étapes importantes dans le déroulement du projet. Il empêchait toute embauche des professionnels requis et tout démarrage des travaux.

Au printemps de 1973, voulant commencer la mise en œuvre du chantier au plus tôt, vous aviez obtenu de la Province, l'assurance qu'elle assumerait, à concurrence d'une somme de dix-sept millions de dollars, les dépenses requises si les programmes d'autofinancement n'étaient pas lancés. Ceci permit de démarrer les travaux d'excavation sur le site et d'engager les experts-conseils chargés d'en établir les plans. Ce retard put être comptabilisé par la suite comme cause d'un tiers environ du dépassement financier.

On dit que chez l'utopiste, l'inventeur supplante l'artiste. Vous vous teniez sur la ligne délicate qui sépare l'idéal de l'utopie. Tout en développant une vision poétique de votre ville et du monde en devenir dans lequel elle devait s'inscrire avec éclat, vous saviez décider. Agissant en réaliste, vous saviez mesurer quelles étaient les limites à ne pas dépasser tout en vous dirigeant vers un idéal possible. Ce fut l'une de vos grandes forces. Et non la moindre de vos séductions.

En réfléchissant, je réalise que je vous ai fréquenté pendant vingt ans sans jamais vous entendre confier vos sentiments envers la majorité anglo-saxonne. Il m'est néanmoins apparu clairement que votre pays a depuis longtemps opté pour une politique de bon voisinage; il se veut avant tout nord-américain.

En matière de sport, jamais le Canada n'a pu, dans toute son histoire, rivaliser avec la puissance des États-Unis. Aujourd'hui, les activités sportives se dégradent de plus en plus au Québec. Voici qui devrait bien vous navrer, à moins que votre nouveau séjour ne vous entraîne au détachement.

C'est en effet vous, avec Jerry Snyder, qui aviez importé le base-ball, si populaire chez votre voisin américain et c'est l'équipe des Expos de Montréal qui l'avait consacré sport national.

Vous qui n'aviez que la générosité pour tout capital, que feriez-vous aujourd'hui devant la force du dollar américain face au dollar canadien? Ni base-ball, ni hockey n'y survivront, pas plus qu'aucune autre discipline sportive au Canada. Les jeunes joueurs ne résistent pas à l'appel du dollar américain et des ponts d'or proposés. Kant Griffey Junior a obtenu un contrat de cent dix-huit millions pour neuf ans. Votre équipe des Expos, après avoir reçu un lieu à sa mesure, n'a jamais obtenu de classement remarqué. Pourtant, les joueurs américains considéraient ce stade comme le meilleur de toute l'Amérique du Nord. Il répondait à une grande affluence, mais l'assistance a maintenant chuté du quart (de cinquante mille à douze mille spectateurs). La même expérience se répète partout, au

Lettre quatre

Québec comme en Europe. La vérité, c'est qu'une mauvaise équipe vide un stade, fût-il le meilleur du monde! C'est avec de mauvais résultats que le rêve du Stade olympique a commencé à s'éteindre; les industriels québécois du base-ball ont pensé qu'en recommençant la cueillette du béton pour créer un nouveau stade au centre-ville, les anglophones rempliraient celui-ci plutôt que l'autre. Aussi ont-ils trouvé en la personne du producteur de bière Molson, le financier du nouvel équipement miracle. Pourtant, le hockey canadien est bel et bien en train de disparaître. Ce complexe construit dans le centre-ville pour bien servir le monde anglophone est maintenant à vendre. Une mauvaise équipe ne fera jamais recette; jamais un stade ne provoquera le remplissage automatique.

Quant au nôtre, malgré les dépenses incontrôlées et insensées, seul un quart de ses quatre-vingts loges prévues fut construit et le véritable projet jamais réalisé. La rumeur populaire fait courir le bruit que de nouvelles loges pourraient le remplir. Tout professionnel sait qu'il n'en serait rien: mauvaise équipe, mauvaise clientèle; les loges, même en s'appuyant sur une secte, ne seront jamais assez rentables pour répondre à un investissement. Les chiffres nécessaires à un bon équilibre sont connus de tous les organisateurs sportifs. Dans la vieille capitale, Québec, le sort de l'équipe des Nordiques, vendue au Colorado, est un exemple.

Pendant toute la durée de la construction des bâtiments pour les Jeux Olympiques, les pressions commerciales américaines furent nombreuses et souvent suivies. Tous ces faits sonnent l'alarme. Le Québec, si près de la souveraineté, pourrait bien un jour s'engloutir dans la puissante organisation des U.S.A. et devenir une étoile de plus sur le drapeau américain. À bientôt.

Aujourd'hui, je viens d'atterrir à Mascate. Cette capitale du sultanat d'Oman, fort intéressante, située dans l'Océan Indien, fut un repaire de pirates, mais Napoléon, au début du XIXe siècle, prit un décret que j'ai pu lire dans *La Maison de France*: «La France doit occuper ce territoire afin d'avoir une base relais pour secourir l'Ile Bourbon et l'Ile Maurice.»

Je brûle de vous raconter comment il fit chasser les Anglais. Trois goélettes occupaient et protégeaient le port. L'amirauté française envoya deux bateaux militaires battant pavillon anglais et profita de la surprise totale pour prendre possession de ce point stratégique. Petite histoire qui illustre bien les éternelles rivalités franco-anglaises. C'est cet héritage malheureux qui se perpétue encore dans les xénophobies respectives au sein de l'Association France-Québec malgré des espérances identiques des deux côtés. J'ai lu le livre que mon ami Philippe Seguin vient de publier: *Plus Français que moi, tu meurs*. Il y parle d'hommes dont vous connaissiez la part qu'ils ont prise dans l'histoire de votre pays; les auriez-vous retrouvés dans votre mystérieux au-delà? «Citons les noms d'Henri Bourassa, fondateur du journal *Le Devoir*, de l'abbé Groulx (…)» Il évoque également un certain Pierre Trudeau qui, en 1805, écrivit à Napoléon pour le prier de reprendre pied au Canada; qui peut aujourd'hui affirmer que l'Empereur eut connaissance de cette lettre? Selon Philipe Seguin, Henri Bourassa et l'abbé Groulx manifestaient une volonté d'émancipation du Canada à l'égard de la Grande-Bretagne. Compte tenu de la prise en force des Anglais, c'était peine perdue; la situation était irréversible. À demain.

Lettre six

Je m'acharne à traquer la vérité, je fouille, cherche, me mets en colère; installé à ma table de travail recouverte de documents nombreux, je revis notre épopée, cette saga du Parc olympique; je relis les louanges, je relis aussi les insultes, les critiques, les prophéties catastrophiques et les jugements trompeurs … Les coûts, les coûts… Ils n'ont que ce mot à la plume! Cette réputation de «gouffre financier» qui a poursuivi les J.O. de Montréal a la vie tenace. Pouvoir de l'image, manipulation de l'illusion…

Il est temps (je sais que vous êtes d'accord avec moi) de dire la vérité aux milieux internationaux, politiques, financiers et sportifs, car ils ont été abusés. Laissons les chiffres parler dans leur sécheresse, plus fort que le slogan frappant dont furent affublés les Jeux Olympiques de Montréal.

Sur quoi repose cette réputation? Les Jeux Olympiques furent préparés dans l'angoisse, sous la pression permanente d'une formidable hostilité aux motivations polymorphes: pessimisme engendré par la crise économique due au premier choc pétrolier; violente agitation sociale entraînant des réactions dures des syndicats, bâtis suivant le modèle quasi maffieux dominant aux États-Unis; xénophobie, parce qu'un architecte français imposait la technologie du béton précontraint, mal maîtrisée outre-Atlantique. Il s'agissait par-dessus tout, pour ses adversaires politiques, d'affaiblir un grand édile: vous, Jean Drapeau, maire de Montréal, initiateur des Jeux Olympiques.

Vingt ans après, il est temps de faire toute la lumière sur les finances des Jeux Olympiques de 1976: loin d'avoir été un gouffre, ils ont rapporté et rapportent encore des sommes très importantes. Sur un plan strictement comptable où les effets indirects n'entrent pas en ligne de compte, le rapport officiel du Comité d'organisation des Jeux Olympiques (C.O.J.O.) fait état d'un bénéfice de deux cent vingt-trois millions de dollars.

Le malentendu tient à la confusion — involontaire au départ, volontaire ensuite — opérée entre le coût de fonctionnement des Jeux, qui ont duré quelques semaines, et le coût des installations olympiques, investissement servant à plusieurs générations. Il n'est pas besoin d'être expert-comptable pour comprendre qu'additionner un coût de fonctionnement et un coût d'investissement revient à ajouter des carottes à des choux. Cette confusion regrettable produisit les «comptes fantastiques» qui vous furent injustement reprochés.

La réalité financière est la suivante: l'investissement de tous les équipements olympiques (un milliard deux cents millions à trois milliards de dollars) fut couvert essentiellement par des subventions (six cent quarante-quatre millions de dollars) et par le cash-flow dégagé par les Jeux, ventes de billets et surtout, ventes des monnaies, loterie et droits audiovisuels, le solde — trois cent trente-deux millions de dollars — étant financé par emprunt. La dette devait être remboursée en 1982. Du côté des recettes, outre les recettes d'exploitation proprement dites, le gouvernement du Québec institua une taxe sur le tabac, affectée, au travers du Fonds olympique, à la couverture de l'investissement initial.

Depuis 1976, le Fonds olympique a reçu un milliard neuf cents millions de dollars, à comparer à un total d'investissement d'un milliard deux cents millions de dollars.

Lettre six

Autrement dit, le mécanisme fiscal, mis en place dans un but précis, est devenu une vache à lait et finance autre chose, à l'instar de ce qui est advenu en France avec la vignette automobile: instituée en 1956 pour financer une aide spécifique aux personnes âgées, elle fut vite accaparée par le Budget général, quand le ministère des Finances constata qu'il s'agissait d'un impôt au potentiel prometteur.

En réalité, les Jeux Olympiques ont rapporté indirectement à l'économie du Québec un montant égal à plus du double du coût des investissements et, depuis vingt ans, Montréal affiche un développement spectaculaire et une prospérité manifeste.

Vingt ans après, le Parc olympique, devenu Parc Maisonneuve, continue de faire vibrer des milliers de spectateurs: le Stade olympique sert deux cent trente-neuf jours par an.

À tous les aigris et les grincheux qui ont associé aux Jeux Olympiques de Montréal le leitmotiv infondé de «déficit, déficit», il faut dire: regardez les comptes et jugez vous-mêmes; y a-t-il eu appauvrissement ou enrichissement?

Cher ami,

Ce soir de 1972, je vous téléphonai encore assez tard. Je savais que vous attendiez mon appel. Le téléphone est un peu ma passion. Je vis au cœur du monde moderne de la communication et de ce qui lui donne du cœur: on resterait bien pauvre de vraie conversation à la fin d'une longue journée de travail sans cet outil magique qui abolit les distances.

Dans notre dernier entretien, vous m'aviez longuement reparlé de la visite du Général; cela me passionna toujours, l'histoire de cette Nouvelle-France.

Les Jeux Olympiques occupaient notre esprit, mais vos pensées allaient souvent à la magnifique exposition que j'ai parcourue, tout au moins ce qui en restait lors de mon premier voyage.

Vous faisiez aimablement office de chauffeur pour mon épouse et moi-même, et l'histoire de chaque pavillon évoquait en vous une foule de rencontres et d'amitiés qui se tissèrent pendant les Jeux. Je suis encore sous le charme de votre don si touchant de conteur à cette occasion.

Lettre huit

Gilles Blanchard, du journal *La Presse*, m'a téléphoné; il voulait savoir comment, à Amsterdam, vous aviez pu obtenir la candidature des Jeux.

Je lui ai raconté la véritable course aux obstacles que vous aviez gagnée pour obtenir la désignation de Montréal. S'il fallait mesurer votre caractère au nombre des démarches que vous aviez faites, beaucoup auraient su très tôt que, sous vos rondeurs, veillait une personnalité de fer. Vous vous étiez rendu plusieurs fois au château de Vidy, à Lausanne, pour rencontrer M. Avery Brundage et vous étiez mis au travail. Soumettant plusieurs fois la candidature de la ville de Montréal au C.I.O., à Rome entre autres, où Munich l'emporta sur vous, vous n'aviez pas désarmé quand tout le monde aurait reconnu la défaite. Volant de ville en ville, ne laissant rien au hasard et rencontrant toutes les personnalités possibles du Comité international olympique, vous ne désarmiez pas. Il fallait réussir. À force de rencontres, en plaidant inlassablement votre cause, vous aviez fini par convaincre. Vous vous êtes présenté à Amsterdam avec des tonnes de matériel et accompagné de huit hôtesses, après avoir parcouru plus de cent mille kilomètres pour faire les visites protocolaires. Pendant l'Exposition universelle, vous aviez reçu la plupart des membres du C.I.O. sans jamais oublier votre défaite de Rome.

Quelle entreprise! Elle sera couronnée de succès à Amsterdam par un vote de quarante et une voix pour et vingt-huit contre. C'était la joie! Déjà, à votre retour, les Montréalais vous avaient fait un accueil enthousiaste. Il s'ensuivra une courte période d'entente avec la presse.

Rendons ici hommage à la mémoire de Gaston Mayer, aujourd'hui disparu, rédacteur au journal *L'Équipe*, qui vous avait beaucoup aidé par ses articles en faveur de la «France de l'oubli.» Jamais, vous ne veniez à Paris sans le rencontrer.

Votre bâton de pèlerin eut du mal à vous suivre: comblé de joie, vous visitiez les villes où s'étaient tenues les dernières fêtes olympiques. Je vous imagine, l'œil vif et pénétrant, vous inquiétant de toutes les dispositions à prendre.

Entouré d'une petite équipe de bénévoles, vous faisiez peu à peu connaissance avec tous les principaux membres du Comité international olympique. Par chance, Lord Killanin venait d'être nommé président; cet homme affable s'était pris d'amitié pour vous et vous appuyait dans vos choix.

Monique Berlioux aida beaucoup aussi Montréal dans la réalisation de son projet et vous prodigua les meilleurs conseils. Pour avoir analysé, avec la profondeur des passionnés, la pensée du baron de Coubertin, vous en étiez devenu l'ambassadeur. Acteur d'une politique de grandeur et de qualité pour votre ville, vous vouliez poursuivre la trajectoire amorcée avec l'Exposition et assurer brillamment l'identité de grande cité du monde de Montréal. Par la stature peu commune qui devenait la vôtre, vous commenciez d'incarner malgré vous le deuxième Maisonneuve du Québec. Beaucoup d'hommes politiques s'en trouvèrent incommodés.

Dès le début, après avoir pu étudier librement les budgets de Mexico et de Munich (bien qu'à Mexico la vérité fût difficile à faire éclater), vous aviez été choqué par les énormes dépenses à supporter et cherchiez le moyen de faire des Jeux économiques.

Lettre neuf

Cher ami,

Malgré la réussite de l'Expo 67, vous ne vouliez plus du gérant de travaux qui avait développé l'organisation et la réalisation de l'Expo, tout en vous faisant porter le chapeau des dépassements. D'où venait ce personnage? Des choix d'Ottawa. Quand vous aviez fait le métro avec le Service des travaux publics, vous l'aviez contrôlé; vous refusiez d'être dépossédé de la responsabilité des Jeux, aussi bien par Ottawa que par Québec. Vous aviez donc monté votre équipe: MM. Pierre Charbonneau, Jerry Snyder, André Morin, Jacques Dupire, Lynch-Staunton formèrent l'état-major consciencieux et enthousiaste, tant de la conquête des Jeux que de l'événement lui-même.

Il régnait un climat très communicatif entre tous les services. Presse et médias en rendirent compte, contribuant utilement à la reconnaissance de cette époque et à sa mise en valeur auprès des populations.

En contact continu avec l'extérieur, vous poursuiviez vos entrevues avec Lord Killanin, Joe Havelanche et d'autres membres du Comité international olympique très influents dans le choix des programmes sportifs.

Le comte de Beaumont, trésorier du Comité, n'avait pas oublié votre réponse à Amsterdam sur les garanties financières: «La parole du maire de Montréal est suffisante.»

Suivant la charte olympique, c'est bien une ville qui obtient les Jeux, non un gouvernement, et le C.I.O. a coutume de demander une lettre de garantie pour cette réalisation. Cette lettre, c'est le premier ministre L. B. Pearson qui la fit pour vous.

Votre auréole visionnaire, pourtant, fit beaucoup trop d'ombre à de nombreux parlementaires, tant à Ottawa qu'à Québec. Amsterdam fut donc le détonateur d'une redoutable machination qui se mit en marche dès les premières heures.

Dans les deux capitales, la fédérale et la provinciale, une pratique de «l'enfouissement» s'élabora de concert et simultanément. Elle influença beaucoup le comportement des entreprises et les facteurs sociaux. Tout cela fait partie d'un roman policier que les citoyens ne devaient pas connaître; mais en l'absence de la vôtre, ma plume peut servir.

Rien d'autre ne comptait que de réduire votre puissance, tant à Ottawa qu'à Québec. Le mécanisme subtil du jeu ne consistait pas à faire plonger Drapeau, mais bien à le rendre ridicule aux yeux du monde et à jouer des armes secrètes de la déstabilisation. Plusieurs fois, en prenant le café, vous m'aviez confié ces mécanismes.

Dans le monde du bâtiment, peu de secrets le restent et, récemment, l'une des deux entreprises générales qui ont construit le Parc olympique a révélé à Claude Phaneuf, ingénieur de la division olympique, que les instructions étaient qu'il fallait «enfarger» le Maire.

Les deux pouvoirs eurent beaucoup de responsabilités dans les erreurs et errements commis pour ces Jeux. Certains de vos très proches collaborateurs comme Claude Phaneuf et Raymond Cyr, également ingénieur, qui œuvrèrent de tout cœur pour la réussite de votre projet, devaient être protégés par des policiers en civil. Ce fut également le cas pour moi. Construire au risque de sa vie? Cela est-il normal dans une nation moderne et qui se veut démocratique?

Lettre neuf

Bien que nos sources d'information fussent assez restreintes, un ami haut fonctionnaire nous décrivit ces agissements du pouvoir «raisonné».

Tels furent les propos que j'ai tenus à ce journaliste qui recherchera la vérité. Je suis sûr que vous cocherez la case approbation dans le petit cahier de notes que vous tenez là-haut pour votre ami Taillibert. À bientôt.

Très cher ami,

Le réalisateur et artiste André Morin fut chargé à Paris, dans nos bureaux, de préparer dans le plus grand secret, un film qui décrivait le Parc olympique. Ce fut le signe de départ de la bataille xénophobe qui allait faire rage pendant dix ans afin d'éloigner la présence française du Québec dans le domaine technique de la construction. Ce 6 avril 1972, je rencontrai pour la première fois MM. René Lévesque et Robert Bourassa qui vous apportaient simultanément leur appui. Témoin de ces dispositions directes et si amicales, je ne pouvais imaginer l'inimitié qui allait surgir.

Cette présentation filmée transposait en images la programmation déjà élaborée, une définition des possibilités en termes d'espace, de fonctions, de spectacles, de circulation et de structures. Elle incitait les futurs utilisateurs à réfléchir non seulement aux besoins des Jeux Olympiques, mais surtout à compléter un ensemble multifonctionnel polyvalent, capable d'assurer la pleine utilisation après les Jeux et, de ce fait, la rentabilité des installations.

Les réactions corporatistes et xénophobes se manifestaient déjà à mon égard et vous en subissiez également les remous. Les premières vinrent de mes confrères canadiens.

Dès le 14 avril 1972, l'Ordre des architectes m'écrivit pour me signifier mon impossibilité d'exercer mon métier au Canada sans autorisation de sa part. L'une des conditions suspensives consistait en la certitude que je parlais le Français. Mes chers collègues allèrent jusqu'à me faire passer un examen en bonne et due forme pour vérifier si je

Lettre dix

possédais ma langue maternelle, et je dus m'exécuter. Parce que j'avais probablement donné satisfaction, ils vous écrivirent le 26 avril 1972, exprimant le souhait que l'architecte «étranger» n'ait qu'un rôle consultatif, au mieux. Vous m'aviez alors donné un échantillon de la colère Drapeau: une élégante et féroce remise en place. C'est ainsi que vous leur aviez retourné leur courrier pour savoir s'ils persisteraient à vous l'envoyer, auquel cas, vous répondriez sur le fond.

Combien de fois allais-je devoir entendre ce mot qui me fit si mal: l'étranger... Quand ce ne serait pas le «maudit» Français!

L'expérience démontre toujours que le passé est fort, qu'il s'est inscrit dans tous les cerveaux de façon continue, de génération en génération, et si j'ai souligné avec tant d'insistance le mot de «maudit» Français, c'est que le triptyque «francophone, francophobe, américanophile» démontre que la route de la réconciliation avec la langue et la culture françaises n'est pas pour demain.

Depuis le malouin Jacques Cartier qui prit possession du Canada à Gaspé, au nom de François Ier, en 1534; depuis Samuel Champlain, qui fonda Québec en 1608 et convainquit Louis XIII de fonder une colonie en Nouvelle-France; depuis Paul de Chomedey de Maisonneuve qui, en 1642, fonda Ville-Marie, la future Montréal, Français et Anglais se disputèrent ces territoires, à l'exception du demi-siècle de paix et de prospérité qui s'écoula en Nouvelle-France après 1713 (traité d'Utrecht). Le 12 octobre 1759, ce fut la chute de Québec. Montréal tiendra quelques mois de plus. La soumission interdit toute résistance au pouvoir anglais.

En 1763, le traité de Paris obligea la France à céder le Canada à la Grande-Bretagne.

En 1774, l'Acte de Québec laissa leurs institutions aux Canadiens français. Enfin l'Acte constitutionnel sépara territorialement et constitutionnellement anglophones et francophones (Haut-Canada et Bas-Canada - Québec).

Le mouvement irrédentiste se prolongea dans les forêts avec l'appui d'une foi puissante, seule arme pour défendre notre langue à partir d'une seule grammaire, disposée dans une église et entretenue par des religieuses. Le passé est lourd: la France, malgré sa forte présence militaire en Amérique du Nord (marine et armée de terre), n'a pas consenti l'effort nécessaire pour sauver ses ressortissants. Nos dirigeants préférèrent les esclaves des Caraïbes à la reconquête. Reconquête qui fut le rêve de La Fayette, détruit par les intrigues. La patrie oublia ses hommes et ses femmes.

C'est l'Église qui supporta et maintint au Canada une certaine influence des Français. Au milieu du XIXe siècle, la littérature française y était très influente. Des ouvrages d'art vinrent s'inscrire dans le paysage, aux côtés de quelques exemples d'architecture comme l'hôtel de ville de Montréal, certaines églises... Des moyens bancaires furent mis en place, en concurrence avec les Anglais.

Enfin, en 1867, l'Acte d'Amérique du Nord britannique créa le dominion du Canada. Le Parlement de Montréal ayant été complètement détruit par un incendie, la Reine Victoria fonda la ville d'Ottawa, capitale fédérale du Canada.

Cette même année, les Québécois obtinrent la qualité de citoyens dans la confédération; la ville de Québec devint le foyer des Canadiens français.

Puis vient la période contemporaine. Proches de nous mais différents, influencés par la pédagogie nord-américaine, allant jusqu'à rejeter la culture de l'Europe, les Canadiens français deviennent un peuple imprévisible.

Ph. Seguin dit que «l'union sans nuage n'est qu'apparente». Je dirais même que, sur le fond, le mensonge habille une cohabitation impossible. Très souvent, les relations franco-québécoises sont loin du climat qu'avait construit le général de Gaulle avec Daniel Johnson ou vous-même.

Jamais nous ne pourrons comprendre un Québécois francophone sans l'interpréter à l'envers de ses paroles. La pensée de l'homme des bois subsiste au point de devenir le moyen de détruire les racines françaises.

Depuis trente ans que je fréquente ce peuple, je constate que son hésitation permanente face à la question de sa souveraineté lui fait oublier ses liens de parenté avec la France.

Les «coups» techniques et financiers, montés souvent dans le dos de la France, en Afrique par exemple (en Côte d'Ivoire, au Niger, en Algérie), nous les connaissons. Ces termes reviennent souvent: «Nous avons été des colonisés, nous vous comprenons sur le fond.»

Le Québec, au lieu d'être notre allié en Amérique du Nord, se retrouve indirectement isolé, revendiquant une identité dont il refuse les racines. En 1967, je ne croyais pas si profond l'éloignement de nos familles.

En travaillant dans le secteur technique de ce pays pour une cause juste, le sport, et pour aider à construire l'image de Canadien français que vous défendiez, j'ai découvert le profond sentiment de xénophobie, voire de supériorité affichée, arrogante et crispée, qui se dressait devant nous.

Oui, les relations sociales étaient épouvantables mais vous, cher Drapeau, en véritable francophile, vous fûtes l'âme damnée du gouvernement du Québec comme d'Ottawa.

Vous vous battiez pour le sport avec le sentiment profond d'aider la jeunesse, alors que Montréal n'aurait jamais dû avoir les Jeux. Ne m'aviez-vous pas souvent dit: «Nous avons eu les Jeux vingt ans trop tôt, notre population n'a jamais compris l'enjeu.»

La position nord-américaine a toujours été la hache de guerre. Pour comprendre et expliquer l'état de la francophobie des Canadiens au moment des Jeux Olympiques de 1976, il faudrait pouvoir relater la totalité des faits prouvant la puissance secrète d'intervention nord-américaine; je pense qu'elle est souvent sollicitée par les représentants du Québec qui font allégeance aux États-Unis d'Amérique.

Quand, après la Première Guerre mondiale, le premier ministre canadien, W. M. King, fit du Canada un État du Commonwealth, et donc une puissance à part entière, la présence anglophone s'en trouva confirmée de façon irrémédiable. Depuis cette date, le Canada français a toujours cherché à retrouver une personnalité.

L'histoire des désillusions est sans fin...

Puis vint le mois de juillet 1967 et l'inoubliable proclamation du général de Gaulle, «Vive le Québec libre!», cette « (...) dernière occasion de réparer la lâcheté de la France».

Lettre onze

Mon cher ami,

Certains événements de notre vie restent à jamais gravés dans nos mémoires. J'étais présent à Montréal lors du passage de De Gaulle en 1967. C'était la première fois que je visitais votre pays.

J'avais quitté New York, sur l'incitation d'un conseiller technique du Général, pour découvrir l'Exposition universelle et dans des conditions que je ne suis pas prêt d'oublier. La sulfureuse exclamation du Général: «Vive le Québec libre!» m'a coûté au bar du Bonaventure, une véritable bordée d'injures en provenance d'un Canadien anglais, agent d'assurances. J'acceptai un whisky anglo-saxon, après avoir rudement répondu, et les relations devinrent plus aimables. Je n'aime pourtant pas le whisky. Si cela avait pu influencer les politiciens!

Bien des fois, vous m'aviez reparlé du discours du balcon et confié que ces propos firent découvrir le Québec au monde, le Québec et la qualité de votre Exposition universelle.

Jamais vous n'avez varié: vous pensiez que le Général avait été abusé par les pancartes arborant «Vive le Québec libre» et que sa conclusion: «Vive le Canada français» signifiait qu'il ne voulait pas se placer sur le plan politique.

Nous sommes à présent entrés dans le deuxième millénaire. J'aime vous imaginer en train de poursuivre votre livre sur le général de Gaulle et le Québec, même s'il faut pour cela m'en tenir à une version «image d'Épinal» du Paradis. «N'ai-je pas assez travaillé en bas?», allez-vous peut-être me dire.

Avez-vous su qu'en octobre 1961, bien avant l'épisode du balcon, le Général répétait à qui voulait l'entendre: «Le Québec, c'est notre devoir de nous en mêler.» Une vague de stupeur se préparait qui sera le fruit d'une longue maturation. Ce sera un défi lancé au monde pour retrouver ces Canadiens français.

Peut-être Jean Lesage, premier ministre de votre province et votre ami, vous avait-il raconté que ce fut avec les honneurs d'un chef d'État qu'il fut accueilli, le 5 octobre 1961 dans le salon de Beauvais, par le Général lui-même? Plus encore, le Président l'invita à la Comédie Française à une «Soirée de gala honorée de la présence de Jean Lesage, premier ministre du Québec».

Tout fut organisé selon les arrières-pensées du Général. Je crois que dans vos rencontres de l'au-delà, où la presse ne sévit pas, vous pourriez obtenir ces informations (je ne vous laisse décidément aucun droit au repos!) René Lévesque et Paul Gérin-Lajoie assistèrent à la soirée. Vous en avaient-ils tenu informé?

Je tire ces informations du livre d'Alain Peyrefitte.[1] Le Général tint tout un discours dont je ne vous rapporte que ces deux bribes: « (…) "Je me souviens", c'est bien la devise du Québec, de ce peuple chaleureux que nous avons retrouvé (…) Les Français ignorent tout du Québec.»

C'est un peu tard pour vous donner ces informations; vous aviez cependant rencontré Alain Peyrefitte dans votre appartement parisien et vous étiez troublé par les messages qu'il vous transmettait. Je ne suis pas sûr qu'il vous ait raconté comment, six ans avant la déclaration au balcon, De Gaulle avait annoncé à la fin d'un conseil: «Un jour ou l'autre, le Québec sera libre.» C'était en 1961. Ces deux mots, «Québec libre», feront le tour du monde! Et dire que vous avez cru que le Général avait été influencé par les pancartes électorales des indépendantistes! Il allait jusqu'à

---

1. À paraître aux Éditions Stanké sous le titre de *De Gaule et le Québec*.

Lettre onze

dire qu'un jour ou l'autre, il y aurait une République française du Canada. Je sais à quel point vous troubla l'apostrophe du balcon et que vous n'aviez cessé de considérer cette déclaration comme une perspective véritable.

Max Gallo, dans son livre *La Statue du Commandeur*, rapporte des propos de ce président de la République française pas comme les autres, qui ne manquent pas de piquant:

«Je compte frapper un grand coup, ça bardera. Cela fait deux cents ans qu'ils attendent», dit à mi-voix le général de Gaulle au ministre Xavier Deniau. «Ça bardera, reprend-il, c'est la dernière occasion de réparer la lâcheté de la France. À mon âge, je ne retournerai plus sur le continent américain. Il vaut mieux que ce soit moi qui vienne poser le problème comme il doit être posé: quand un président de la République française se rendra-t-il au Canada?»

Les historiens révèlent que le premier ministre canadien, L. Pearson, n'avait rien fait pour faciliter ce voyage. Au contraire, les services d'Ottawa multiplièrent les difficultés en lui refusant l'accès à l'aéroport où devait se poser son avion, dans l'espoir de le faire renoncer à ce voyage.

«Eh bien, De Gaulle se rendrait au Canada à bord du Colbert, croiseur amiral de la flotte de l'Atlantique. Après escale à Saint-Pierre-et-Miquelon, il remontera le Saint-Laurent jusqu'à Québec, et ceux qui croyaient qu'un homme de 77 ans ne pouvait, avec sa femme, affronter la traversée de l'Atlantique sur un navire de guerre, ne connaissaient pas le Général et se trompaient.» (Max Gallo)

D'après ce que vous m'aviez confié au cours de nos entretiens hebdomadaires, vous aviez poussé vos recherches très loin, puisque vous vous étiez adressé aux services de la

C.I.A., à Washington, pour vérifier l'existence de l'influence américaine sur le déroulement de ce voyage.

Les Américains n'ont jamais aimé le Général. Des fuites les auraient prévenus de la signification de ce voyage, ce qui amena les journaux de Toronto de l'époque à vilipender le Général plusieurs jours avant son arrivée. Le 25 juillet, les articles anglophones le traitaient de dictateur sénile, de vieil homme querelleur, de nationaliste gaulois, vieillissant, gâteux, et même de tête fumante. Cela le rajeunissait, il lui semblait revenir au temps des querelles avec Churchill et Roosevelt.

La visite du Général comme ses propos apparaissaient tout à fait prémédités aux Américains. À mon avis, son refus d'aller à Ottawa confirmait les agissements secrets nord-américains dont il avait certainement eu vent. Vous veniez, cher ami, de réaliser à Montréal cette belle Exposition universelle où le dynamisme de la créativité explosait au grand jour. Comme l'affirma le général de Gaulle, Montréal s'ouvrait au monde par une grande porte.

Cette «ville exemplaire que vous avez accomplie, c'est la vôtre, je me permets d'ajouter: c'est la nôtre», vous dit-il. D'après les propos de M. Charles Roy, votre directeur de cabinet — propos que j'ai recueillis personnellement — M. Couve de Murville, qui était à côté de lui, a changé de couleur en entendant ces mots.

Plus de trois mille personnes attendaient sur la terrasse. Ce fut la fuite du monde anglophone et la réprobation. L'histoire du balcon est curieuse, je vous l'ai fait répéter plusieurs fois et votre version n'a jamais varié. Le matin, un membre du protocole de l'Élysée avait visité les lieux; sur le balcon se trouvait un micro.

Lettre onze

Vous aviez demandé à Radio-Canada d'enlever ce micro. Que s'est-il passé? Le micro fut camouflé. Tout au long du chemin du «Roy», le Général vous demandait: «Où puis-je leur dire quelques mots? Je dois les remercier de m'accueillir.» Vous aviez alors consenti à le faire paraître au balcon.

À la suite du fameux: «Vive le Québec libre», le premier ministre de l'époque, M. Lester B. Pearson, avait déclaré «qu'une telle déclaration d'un chef d'État était inacceptable. Pareille intervention dans les affaires internes de notre pays ne pouvait pas être tolérée par le gouvernement.» Ottawa intervint pour que le Général ne puisse pas visiter l'Exposition. Cette demande fut rejetée à l'unanimité, l'Expo 67 étant au-dessus de toute considération politique.

Mais l'immense ovation qu'il avait reçue au balcon avait, il est vrai, frappé le Général. Il s'était retourné vers le ministre Johnson: qu'avait-il dit de si extraordinaire? «Mais, mon général, c'est le slogan du parti que j'ai battu aux élections.» D'un geste de la main, il balaya l'espace tout en disant: «Oh vous savez, moi, les slogans politiques...» et se tournant vers vous, il conclut: «Allons retrouver nos invités.»

Vous vous êtes interrogé longuement sur le sentiment que vos compatriotes ont témoigné au général de Gaulle. Cela se passait trois siècles après que Maisonneuve eut fondé Montréal, dans le grand Montréal, deuxième ville francophone du monde, œuvre initiée par Maisonneuve et poursuivie par vous, maire qui avez lancé cette métropole sur la planète avec le talent et les moyens d'un homme moderne élu au suffrage universel direct.

La gratitude que vous aviez exprimée au général de Gaulle n'était pas personnelle, mais celle de l'avocat des

Québécois face à la France et à son passé. En affirmant que ce peuple avait survécu pendant deux siècles à l'occupation militaire et politique, vous disiez en fait: «Nous sommes restés des Canadiens français.» N'aviez-vous pas ajouté: «Les présidents qui vous ont précédé dont aucun, à l'exception d'un seul, pour une brève visite il y a de nombreuses années, n'a jamais témoigné l'importance que vous avez attachée, et que vous, M. le Président, avez voulu manifester à l'endroit de l'existence d'un Canada français (...)»

«C'est cet état d'esprit, ajoutiez-vous, c'est cette anxiété, auxquels nous voulons mettre fin, et nous ne demandons pas mieux, par cette expression d'extension de maîtrise de sa destinée, de mieux servir le pays de nos ancêtres, de vos ancêtres, M. le Président.»

Dans votre allocution, vous n'exprimiez pas un reproche, mais cette «saveur» de vérité que vous faisiez habilement passer en remerciant le Général de ses courageuses paroles.

Une seule phrase pourrait résumer la passion du Général dans cette épopée à travers le passé d'une France ingrate, à la rencontre d'un peuple qui, lui, n'avait pas oublié.

S'adressant à vous ce jour-là, dans un discours officiel, il affirma: «Si un fait, si un événement pouvait justifier à lui seul le voyage que j'ai l'honneur de faire au Québec, ce serait l'allocution vraiment émouvante mais profonde que vous venez de prononcer et dont je vous demande de croire que, pour les Français, en particulier, si vous le permettez, pour leur Président, les mots iront très loin.»

Il poursuivit: «Ce matin, M. le Maire, et ç'aura été la dernière étape de notre voyage, vous nous avez fait visiter rapidement cette ville énorme de Montréal. Tout de suite je vous dirai que rien ne peut être plus émouvant et plus encourageant pour un Français que d'avoir vécu cela, d'avoir discerné ce passé et constaté ce présent.» Et il termina en levant son verre «en votre honneur et en celui de Montréal, ville aujourd'hui plus chère à la France qu'elle ne l'a jamais été.»

Après que le sol du Québec eut été arraché à la souveraineté de la France, voici deux siècles, soixante mille Français y restèrent; ils sont maintenant six millions. Ce fut un miracle de fidélité à notre langue. «C'est notre peuple qui vous recevra, mon Général, avec honneur et affection», avait lancé Daniel Johnson au Général, lors de l'invitation de celui-ci à l'Exposition universelle.

Lors du déjeuner officiel au Pavillon d'honneur, le Général était assis à côté de Madame Shaw, hôtesse remplaçant Madame Dupuy, femme du Commissaire général, absente (curieuse absence...). Le Président, faisant allusion à ses «mots du balcon», s'adressa à sa voisine en anglais: «Sometimes, old gentlemen do not sufficiently think about what they are going to say.» (Parfois, les vieux messieurs ne réfléchissent pas assez à ce qu'ils vont dire). J'insisterai sur ce point: la diplomatie de notre président était profonde et sa phrase ne s'adressait qu'aux anglophones.

Madame Drapeau a dû vous le raconter puisqu'elle assista au déjeuner du «Pavillon de France». Après que De Gaulle lui eut dit: «Madame, votre époux est un grand homme», votre épouse lui posa la question: «Pourquoi avez-vous utilisé le slogan des ennemis de Monsieur Johnson?» La réponse fut éloquente; après avoir pris longuement sa respiration, il déclara: «Madame, quand j'ai choisi de faire quelque chose, rien ne m'arrête, je le fais.»

À présent, près de quatre cent mille Français franchissent chaque année l'Atlantique pour visiter votre beau pays. C'est là votre victoire: même des années après l'Exposition universelle et les Jeux Olympiques, votre ville brille sur la planète.

Lettre douze

Très cher ami,

Je sais qu'Alain Peyrefitte vous avait confié la pensée profonde du Général, mais peut-on la partager?

Depuis 1961, le Général pensait aux Canadiens français et à leur avenir après deux référendums: la souveraineté de votre pays n'a pu surgir des urnes. Je crois, comme vous-même le redoutiez, que la puissance du voisinage pourrait bien contrôler votre histoire. Les valeureux combattants auront peut-être raison; mais je sais bien que si les Canadiens français admirent le combat, ils sont, au fond d'eux-mêmes, fédéralistes. Une preuve en est que vous aviez constitué, avec votre ville, un État dans la fédération du Québec.

La puissance américaine est forte: nous l'avons subie pendant la construction du Stade, au travers de pressions nombreuses qui semaient le doute sur nos idées. Beaucoup de Québécois regardent vers la Floride; nous étions donc bien seuls pour défendre la technologie européenne. Votre puissant voisin n'admet pas les retrouvailles entre cousins.

Amitiés.

Aujourd'hui, je suis loin, dans un monde totalement étranger, le désert d'Arabie. Je dois me rendre à La Mecque visiter des terrains pour bâtir une nouvelle cité.

Isolé dans ma chambre d'hôtel, je me suis encore une fois posé la question: pourquoi n'avez-vous pas répondu aux critiques tendancieuses des Montréalais dans la presse et les médias, à la suite du Rapport Malouf?

Je vous ai posé cette question par téléphone à maintes reprises, et à nouveau peu de temps avant votre ultime départ, alors que je me trouvais comme aujourd'hui dans le silence des sables.

Vous étiez alors attelé à la rédaction d'un ouvrage sur de Gaulle et m'aviez répondu de façon aussi simple que sereine: «Je ne l'ai pas fait faute de temps; j'ai donné la priorité au général de Gaulle. Mon horizon se rapproche.» Mais vous aviez ajouté, en parlant de Malouf: «Laissons cet homme et son équipe dans l'oubli; l'éternité jugera leurs actes.»

Aujourd'hui, vous nous avez quittés mais l'histoire est puissante; elle n'oublie jamais les hommes, même victimes, même si elle ne peut s'appuyer sur rien d'autre que le mensonge des «hommes des forêts», construit avec tant d'habileté.

La seule force politique capable de juger les hommes de leur vivant, c'est la société civile, la grande famille des citoyens souvent transformée en public; et c'est elle qui vous a soutenu dans votre volonté de faire de votre ville un grand Montréal, pour que sa force de vivre soit démontrée au grand jour. Quelle joie ce fut pour vous, devant certains,

Lettre treize

dont ce petit juge qui me traita d'étranger et de Français. Ce petit juge! Il avait interdit à l'un de ses procureurs de me poser des questions quand j'étais venu de mon plein gré lui dire cette vérité qui fait si peur et dérange tant. Un homme de bonne formation pourrait-il, comme il le fit avec force, vous reprocher d'avoir voulu réaliser une œuvre inédite, conçue par «un architecte français» pour l'image de votre ville?

Ce soir, avant de me coucher, je pense à l'amour et aux cœurs des Montréalais en qui vit votre souvenir depuis le mois d'août 99, ces Montréalais qui oublient peut-être qu'ils paient leur tabac trop cher pour un choix qui n'est pas respecté.

Demain, je reprendrai mon vol pour l'Europe car je ne peux m'habituer à l'omniprésence religieuse locale, malgré la qualité des gens que nous rencontrons.

Ici, les «Ficelles du Pouvoir» seraient vite coupées. Que la nuit vous permette de réfléchir avec les justes. À bientôt.

Je viens vous dire tout mon chagrin. Alain Peyrefitte nous a quittés; serait-il auprès de vous? Vous pourriez ainsi dialoguer ensemble sur l'épisode du Québec dont il nous a laissé un témoignage écrit... C'est depuis que vous êtes parti que je transforme ainsi le Paradis en salon de thé, en succursale de mairie; peut-être arriverai-je, au bout de ces lettres, à cesser ce dialogue avec l'absent que vous êtes!

Je subodorais depuis longtemps (car vous m'en aviez entretenu au cours d'un déjeuner) une position hostile d'Ottawa envers la problématique relation France/Canada, mais je n'avais jamais cru en des difficultés aussi profondes.

Cette exposition que vous aviez préparée à Paris, avec l'appui de votre ami Johnson, allait favoriser le lancement de Montréal dans la constellation du XXᵉ siècle. Mon confrère Peyrefitte explique, dans son ouvrage, que des difficultés surgirent au sein du ministère des Finances, au sujet de la présence de la France à cette grande rencontre. Peu de Français avaient eu à connaître ces difficultés. Le Général ne partageait pas l'opinion de son ministre des Finances, Monsieur Giscard d'Estaing, défavorable à la participation de la France à cet extraordinaire événement.

Alors que nous partagions un repas, comme nous le faisions pratiquement quotidiennement quand j'étais à Montréal, vous m'aviez un jour conté la naissance et la réalisation de votre exposition qui avait prouvé la volonté québécoise de s'inscrire sur la carte mondiale.

Lettre quatorze

Vous m'expliquiez aussi que les comptes de l'Exposition ayant été soldés par le Fédéral, vous alliez devoir jouer avec le feu du déficit pour les Jeux.

À cause même de votre réussite, particulièrement jalousée par les hommes politiques, et de vos propos adressés au nom du Canada au Président de la République française, vos ennemis se trouvaient réveillés pour la tenue des Jeux Olympiques. Vous m'aviez longuement expliqué la genèse de l'Exposition: vos réunions à Paris; l'acceptation de votre ville par le Comité des expositions; la création des «îles» au milieu du Saint-Laurent, un îlot artificiel adjoint à l'île naturelle grâce aux terres de déblaiement: une idée de génie.

Ce qui m'amuse, aujourd'hui, c'est que vous ne m'ayez jamais montré ce croquis au mauvais dessin que j'ai découvert dans un film récent: il s'agissait de la tour que vous projetiez de construire comme symbole de l'Exposition.

Vous m'aviez fait, par contre, une révélation: ce fut l'académicien Baudouin, auquel je succédai à l'Institut de France, qui vous conforta dans le choix de vos îles sur le Saint-Laurent. L'histoire est curieuse quelquefois, et le monde plein de chemins croisés! Car sous la Coupole, j'ai fait l'éloge de cet homme disparu, ayant été élu à son fauteuil sans connaître son intervention sur le site où j'allais construire.

Après que cinquante millions de visiteurs eurent parcouru l'Exposition de Montréal, vous avez pu jouer dans la cour des grands. Plus rien ne vous arrêtait, mais les Jeux Olympiques allaient devenir l'ultime bataille politique à venir. À bientôt.

Lors d'un de nos nombreux déjeuners, j'avais décelé, au fil de la conversation, que malgré votre très grande sympathie pour le Général, la France libre n'avait pas été votre choix pendant la Guerre de quarante. Vichy était le recours des Québécois, et pour cause: le maudit Anglais faisait la guerre et n'aurait pas l'aide des Canadiens français.

J'avais déjà compris que votre peuple voulait régler ses comptes avec les Anglais et que, la France vaincue, il avait penché pour le régime de Vichy.

Notre discussion fut ouverte. Je parlai de mon père, gaulliste de la première heure, qui fut secrétaire du comité de libération de mon village. J'ai dû moi-même changer de nom, la Feld gendarmerie me recherchant, et suis devenu «Pierre Moreau». Deux de mes amis allaient disparaître: Jean Secretain fut pendu par les Allemands et Prosper Legourd, déporté à Büchenwald, mourut deux heures après l'arrivée des troupes alliées sans jamais avoir révélé un seul nom (sans cela je ne serais pas au Canada aujourd'hui). J'avais bien compris que mon histoire était pour vous exemplaire d'une période d'occupation, mais le maudit Anglais était notre allié... Ces heures sombres de l'occupation sécrétaient la peur et l'angoisse d'être déporté car, chaque jour, des dénonciateurs exerçaient leur métier. Les Anglais, heureusement, nous parachutaient amis et moyens de déséquilibrer les forces allemandes en retraite. La volonté de liberté commande quelquefois l'histoire. Je sais que ces informations vous ont permis de mieux comprendre ce que furent l'occupation allemande et la présence néfaste

Lettre quinze

du gouvernement de Vichy qui restait en contact avec Roosevelt, sous sa protection. Même si le Maréchal avait été un de nos grands héros, il ne pouvait être le sauveur de la France dite «libre» avec cinquante pour cent de son territoire annexé par l'Allemagne. Ce qu'étaient une ligne de démarcation, l'occupation de la maison familiale par les troupes allemandes, la Gestapo, les restrictions, vous en avez senti le poids et la teneur. Tout cela fit partie de ma jeunesse, avec la peur permanente d'être arrêté et des études perturbées. Après avoir subi, pendant deux mois, la débâcle et la fuite de malheureux depuis la Hollande vers le sud de la France, il nous fallut vivre dans un autre monde. Parfois, des avions Messerschmitt mitraillaient ces convois d'hommes, de femmes et d'enfants, et il fallait ramasser les morts. Tout ceci fait partie de l'histoire, comme le discours du 18 juin du Général, que mon père avait écouté sur un poste de radio, bricolé pour recevoir les ondes du monde entier.

Je vous parle du passé et d'une autre époque: si je me permets de vous redire cette triste page d'histoire de la France, c'est pour vous convaincre, encore et au-delà de toutes nos conversations passées, qu'il n'y avait plus de France, sauf celle de Londres. Pour nous, l'espoir, grand moteur des hommes, venait de Londres, non de Paris ou de Vichy.

C'est pourquoi plusieurs siècles d'occupation, comme vous les connûtes, vous, Canadiens, dans votre histoire, signifiaient une tragédie que je comprenais fort bien, même si les deux occupations ne pouvaient en rien se comparer: celle que nous avions subie ne se contentait pas d'une atteinte à l'indépendance nationale; elle attaquait à leur base les principes humains les plus sacrés. Nous n'avions pas eu les mêmes occupants; le vôtre était notre allié contre la barbarie. À bientôt.

Cher ami,

Je poursuis cette longue digression pour la finir ici, c'est promis! La roue avait tourné et la grande Exposition vous avait donné place sur la scène internationale. Ne m'aviez-vous pas confié que la honte du Traité de Paris devait être effacée? Le général de Gaulle y a-t-il contribué, en lançant du balcon de l'hôtel de ville, en 1967, les quelques mots «explosifs» que vous attendiez? Il avait, selon vous, rapproché la France du Québec.

Cette volonté de la France remonte au XVIᵉ siècle et c'est un grand Français du XXᵉ qui a relevé le gant de l'histoire, dans la continuité de la pensée de La Fayette: «Ensemble, nous avons été au fond des choses, et nous en recueillons les uns les autres des leçons capitales. Nous les emportons pour agir, vous, pour poursuivre votre œuvre dans ce Canada dont vous êtes le cœur, dans cette Amérique sur laquelle vous êtes implantés, avec naturellement toutes les circonstances, toutes les conditions particulières qui vous environnent, mais avec la flamme de nos aïeux.» Vous aviez alors compris, mon cher Drapeau, que la France ne vous avait pas abandonné. À bientôt.

Lettre dix-sept

Beyrouth.

Vous souvenez-vous de mon appel téléphonique de 1998 par lequel je vous entretenais de la grande nouvelle? Le toit du stade allait être refait, mais surtout pas comme Taillibert l'avait prévu.

Cette fois, ce serait une société américano-québécoise, Birdair, avec une nouvelle technique, le Téflon. Ce choix était encore une erreur, ce textile ayant des caractéristiques techniques trop faibles. L'un de vos anciens collaborateurs m'avait informé des méthodes de soumission, le programme exigeant une toiture souple supportant la neige. Si la vérité me fut bien rapportée, deux entreprises avaient répondu, l'une avec le Kevlar, matériau de très bonne qualité, et la seconde avec le Téflon. La difficulté de cette compétition résida dans le fait que le moins-disant fut comme par hasard Lavalin qui avait réalisé le premier toit, avec les erreurs que l'on sait. Le comité de surveillance avait alors exigé que l'Américain québécois baissât son prix pour obtenir le marché. N'ayant ni expérience, ni référence, il était plus facile à gérer pour un directeur de la construction.

Ainsi se perpétuèrent les exécrables méthodes de 1976, grâce à l'absence de sanctions par le juge Malouf. La nouvelle conception ne respectant pas davantage les principes architecturaux que les précédentes, de nouveaux problèmes étaient à prévoir.

J'avais prévenu le président de la Régie olympique de l'époque, M. Tétrault. M. Kenneth C. Johns, professeur à l'Université de Sherbrooke, m'avait invité pour participer aux recherches de son comité aviseur pour la nouvelle toiture. Ma réponse fut claire: nous devions faire un inventaire analytique des erreurs commises afin d'émettre une proposition sérieuse.

J'eus l'audace de demander la régularisation des frais occasionnés par trois semaines de travail. Aviez-vous su que j'essuyai un refus? Encore un acte politique déguisé... Il ne fallait surtout pas, en me payant normalement, me laisser la plus petite porte entrouverte: un mouton noir chez les loups, cela fait désordre! La politique, arme secrète et dissuasive, a toujours été bénéfique à la R.I.O.

Vous étiez avec moi au Ritz, à Paris, quand le président de la F.I.F.A., (la Fédération internationale du football amateur), Monsieur Joe Havelanche, vous avait encore félicité pour la qualité des équipements que vous aviez réalisés à Montréal. Son action particulièrement efficace en faisait un président craint et respecté dans le monde entier.

Il ne restait plus qu'à attendre la fatalité, puisque personne n'écoutait, et assister, impuissants, à la suite des incidents prévisibles, puisque l'incompétence ouvrait les portes à l'orgueilleuse et inconsciente ingénuité de l'ingénierie. À demain.

Lettre dix-huit

Paris.

Ma documentaliste, à mon retour en France, me ressort un vieil article du journal *Le Monde*, daté d'août 1976, qui vous aurait plu. Je ne pense pas que vous l'ayez jamais lu. Dans notre pays attaché aux écrits, ce quotidien a une réputation sérieuse quant à la véracité de ses informations. C'est Jacques Michel qui le signait, sous le titre: «Médaille d'or pour l'architecture du Stade.»

«Sur les cartes postales, les affiches et les foulards édités au cours des Jeux Olympiques, le grand stade de béton nu figure comme un navire aux formes fantastiques, surmonté d'une triomphale mâture oblique, d'où se déploie un toit en toile ouvert comme un parapluie. Mais, sur le site même, aujourd'hui déserté par les foules, le symbole architectural est inachevé. Le corps du Stade montre, en haut, des moignons de fer rouillé, d'un effet plutôt dérisoire. Le temps des Jeux est arrivé, puis il est passé, avant que le grand forum ne soit achevé. Faute de temps? Faute d'argent?

En tout cas, avec un nouveau casse-tête financier, Montréal compte aujourd'hui un audacieux chef-d'œuvre d'architecture sportive, comme on n'en connaît pas de pareil dans le monde. Fonctionnellement, il se vide rapidement par des pentes fortes qui semblent pousser les foules vers le dehors. Dans cette structure de béton, dont les courbes tracent dans l'espace des effets architectoniques particulièrement dramatiques, rien n'appartient au système de l'architecture industrielle qui assemble des planches et des poutres avec la simplicité d'un «Meccano». C'est plutôt une architecture organique qui porte la marque d'une imagination inspirée, mais fait penser à un système constructif vivant.

L'architecte, M. Roger Taillibert, n'y a pas cherché la facilité; il a tout inventé dans ce bâtiment "sculpture" où soixante-dix mille personnes ont pu faire la ronde autour de quelques "dieux".

Le stade de Montréal fait figure de nouvelle cathédrale des sports pour une société dont on annonce que des temps de loisirs accrus vont la rendre "athénienne", adonnée à la culture du corps. Mais, comme les cathédrales, les stades de ce calibre coûtent cher, tant par les portées que franchit le béton que par l'originalité de la conception...

La prouesse architecturale de l'homme de l'art a été doublée d'une bataille d'entrepreneurs et d'architectes, tant au Canada qu'aux États-Unis, qui souvent travaillent, comme on dit, dans "l'interdépendance". Le maire, M. Drapeau, a préféré trancher en faveur d'un outsider, un architecte français qui venait justement de faire ses preuves au Parc des Princes...

Il fallait de l'audace à Montréal. Et de l'audace, l'architecte n'en a pas manqué. Ni d'imagination, ni de bonheur non plus. Débarqué dans ce Canada où s'affrontent les communautés et les cultures, sur un arrière-fond de lutte économique, il apportait candidement son chef-d'œuvre de complexité et entendait le réaliser avec l'aide du maire. Ce fut une année homérique, sitôt le dépôt des plans et maquettes, en novembre 1975, au milieu d'un guêpier d'entrepreneurs habitués à simplifier pour mieux rationaliser et rentabiliser. Or, l'architecture de ce stade, c'est, si l'on veut, justement le contraire du simple. C'est du "sur-mesure". Tout y est inventé, tout y est rêvé, tout y est inédit dans une technique peu développée en Amérique du Nord, le béton précontraint, qui permet une expression plastique sophistiquée, une expression qu'on retrouve dans la chapelle de Ronchamp avec Le Corbusier, au palais du C.N.I.T. à La Défense et, justement, au stade du Parc des Princes...

La tradition du béton, depuis Perret et Freyssinet, a donné une avance à la France dans ce domaine (à la différence de

Lettre dix-huit

l'utilisation du béton telle qu'elle est pratiquée aux États-Unis, à la manière d'une construction de bois ou de fer, plus économique, donc plus rentable, mais architecturalement moins intéressante). L'attitude de l'architecte français est naturellement entachée d'un romantisme peu de mise au sein d'une économie dominée par le pragmatisme.

Du temps d'Eiffel, on construisait à la limite des moyens techniques. Aujourd'hui, ce sont les moyens financiers qui commandent les choix. Or, le stade en béton de Montréal, c'est, toute différence mise à part, la tour Eiffel en fer de Paris. C'est un peu le même geste gratuit, la même prouesse technique qui devient une architecture. Et faire de l'architecture pour l'architecture est assurément irréaliste... à moins qu'Eiffel n'ait eu raison.

Ce futur "monument historique" de Montréal, il a fallu l'achever à la hâte, avec une part non négligeable d'éléments temporels, qui devront être refaits par la suite, en même temps que la flèche coupée à sa naissance, comme les tours tronquées de ces cathédrales interrompues par un bouleversement historique. La flèche du stade logera un toit mobile, indispensable si l'on veut rentabiliser le fonctionnement du stade tout au long de l'année, un restaurant et deux funiculaires. Ses pièces sont déjà réalisées et numérotées. Mais, dans la tour de Babel qu'est devenu le chantier de construction, tiraillé par des intérêts divers et agité par des ordres étrangement contradictoires, il leur est arrivé d'être déplacées à trois reprises.

"C'est un miracle, dit-on, si on est parvenu à donner à ce stade un semblant d'achèvement pour les Jeux." Dans cette architecture qui tient du prototype, on tombait tous les jours sur des surprises... Surtout lorsque se répandent des rumeurs alarmantes: un jour, l'architecte accourt au chantier où il apprend que des centaines de brancards ont été installés sur place. Explication: le bruit avait couru que les structures de béton allaient s'écrouler... On parle de "sabotage", d'autant plus facile à mener à bien que le programme est complexe et inédit.

Il y a exactement trente ans, un autre architecte avait eu à affronter un problème similaire lorsqu'au moment du décoffrage d'une audacieuse terrasse projetée dans l'espace sans pilier de soutien, il avait dû affronter le mécontentement des maçons. C'est Frank Lloyd Wright et sa "villa des cascades". S'emparant d'une pioche, il défit lui-même le coffrage de ce chef-d'œuvre, qui tient toujours et figure au patrimoine architectural américain.

C'est peut-être un des débouchés "parallèles" du Stade de Montréal que de devenir un "spectacle architectural", un monument à visiter aussi inusable au fil du temps que la tour Eiffel, le Champ de Mars et la Joconde du Louvre. Car les cités ne vivent pas seulement de constructions, elles ont aussi besoin d'architecture: aux rares médailles d'or remportées par les Français à Montréal, on aurait pu, s'il existait des joutes olympiques de l'architecture, en attribuer une à M. Taillibert, athlète de l'architecture sportive.»

Vos services avaient fait le choix, pour ce complexe, de méthodes inconnues aux U.S.A. à l'époque de la désignation de Montréal. Il s'agissait de méthodes françaises et européennes basées sur des découvertes d'avant-garde, celle du béton armé notamment.

C'est Freyssinet qui inventa la précontrainte, l'art de réduire la matière pour obtenir des performances supérieures. Votre équipe l'avait bien compris. Pour vous, la performance technique des bâtiments olympiques, alliée à celle des athlètes, servait celle de votre ville.

Partout où l'on réalise un ouvrage non conventionnel, les bons esprits sèment le doute parmi les responsables. Le succès, auprès de la presse, des installations olympiques donnait à réfléchir. Vous aviez souvent relevé, comme moi, que le public nous suivait avec elle. Nous n'avons jamais vu un officiel me remercier de l'ouvrage réalisé. Les armes

Lettre dix-huit

efficaces qui furent abondamment utilisées contre nous se résumèrent au déficit, à la dette, à la mégalomanie.

Je me sens la plus grande reconnaissance envers vous de m'avoir invité à m'engager dans cette aventure dont aucun de nous deux ne pouvait prévoir l'importance, aventure qui m'aura permis de me découvrir aussi, malgré l'antagonisme de certains, cette belle famille québécoise aux grandes créations si mal exportées.

El Ain – Émirats.

J'ignore si vous étiez jamais allé aux Émirats Arabes Unis. Je vous parlerai donc de ce magnifique désert qui s'étend à perte de vue, où seuls les chameaux constituent parfois un danger sur les autoroutes ensoleillées.

Je suis à mille mètres d'altitude sur une montagne de la chaîne d'Oman. Nous construisons un parc hôtel créé avec une entreprise égyptienne. Nous souffrons beaucoup du fait d'une technicité défaillante. Nous devons, comme à Montréal, suppléer au manque d'adaptation technique, mais parvenons cependant à un résultat incontesté: autre pays, autre civilisation...

Cela me rappelle Montréal, syndicats mis à part. Nous travaillons comme partout dans le monde afin de faire une œuvre originale, malgré une forte chaleur, avec des ouvriers dont la qualité majeure réside dans le seul désir d'apprendre, car la vie dans leur pays d'origine est très difficile.

La construction, l'architecture sont des arts difficiles à maîtriser dont les hommes savent surmonter les handicaps si, et seulement si, la politique ne s'en mêle pas. Ce fut la bataille que vous n'avez pu gagner car vous étiez seul contre tous.

J'ai beaucoup pensé à votre action car, ici, tous les hommes ont entendu parler de Montréal, de l'Exposition et des Jeux. Pour ces hommes venus d'Égypte, de Palestine, des Indes, du Pakistan, votre ville est en effet un rêve, et aller vivre au Canada hante leur esprit.

Vous avez beaucoup de chance que votre pays soit connu dans ce désert, mais on y entend également quelques propos défavorables (déficit, dettes, etc...).

Lettre dix-neuf

Nous abordâmes ensemble maintes fois les questions: «Le Canada est-il un pays sportif ou va-t-il le devenir?» Je pense personnellement que le Canada et le Québec ont des peuples sportifs et que leurs jeunesses suivent. Pourquoi avoir introduit des sports professionnels, aux gains énormes pour les joueurs, et pourquoi ne pas avoir voulu conserver l'âme d'un stade doté d'un club résident, gérant le complexe sur les plans sport et animation avec des programmes internationaux? Votre soi-disant alter ego, M. Lucien Saulnier, président de la R.I.O., a toujours surpris sans surprise: pourquoi aurait-il un jour accepté les conseils de Walter Siber qui doit à sa compétence de toujours d'être aujourd'hui conseiller international de la F.I.F.A. et du C.I.O.?

Un journaliste qui vous aimait bien vient de me faire un exposé des erreurs québécoises commises à l'égard de toutes les disciplines sportives. Il me confirme ce qu'il a écrit dans *La Presse* bien des fois, à savoir que vous étiez le seul homme politique qui ait pensé pouvoir développer le sport. Pour lui, maintenant, c'est la débâcle: aucun championnat du monde, pas de Coupe du Monde de foot-ball, pas d'athlétisme, de natation ou de cyclisme. Je ne peux qu'être d'accord avec lui.

Effectivement, malgré l'appui de Molson et un nouvel équipement, le hockey canadien est en train de disparaître. Cet équipement construit dans le centre de la ville pour bien servir le monde anglophone est maintenant à vendre.

Je commence à craindre de vous ennuyer à vous entretenir avec tant de ténacité de problèmes sportifs assez décalés avec votre monde actuel— d'air? de lumière? — mais votre admiration pour le baron de Coubertin m'y incite, comme si ce grand voyage que vous avez entrepris ne pouvait vous couper de toutes vos vieilles passions.

La nuit arrive à 6 heures; le soleil s'est couché et je vais quitter la montagne. Je vous poursuivrai encore, un autre jour, avec ces conversations sur le sport dont j'espère qu'elles vous parviennent, cher ami si lointain.

Lettre vingt

Montréal.

J'ai évoqué tantôt la façon dont M. Lucien Saulnier, le troisième président du Comité exécutif, vous avait abandonné. Sa position, en Commission parlementaire, fut véritablement celle d'un ennemi. Je me souviens du débat au Parlement de Québec au sujet de la finition du Stade. «Si vous voulez ce funiculaire, nous allons vous l'offrir pour le mont Royal.»

Avec quelle secrète amertume vous aviez dû recevoir ce «cadeau» et ressentir la grossière désinvolture de cet «ami»!

Je pense qu'il exhibait ainsi en public, avec force démonstrations, une puissance toute neuve dont il ne vous était enfin pas redevable. Un nouveau riche du pouvoir... Il en devenait dangereux; poussé par un esprit d'opposition aveugle, il en défendait des choix ridicules qui n'étaient que simples contradictions: une tour tronquée (le mât) et pas de funiculaire, car il n'y avait pas de point de vue touristique, soutenait-il. Il faudrait faire savoir maintenant à M. Lucien Saulnier que, chaque année, près d'un million de touristes montent au sommet, lui dire également que cette tour penchée est devenue l'image de marque de Montréal, mais qu'à ce jour, toutes les salles de sport prévues n'ont pas été réalisées.

C'est que pingouins, perroquets et puces de l'Arctique devenaient une priorité vitale comparée au destin de la jeunesse de l'est de la ville. Loin de moi l'idée de mépriser les sciences des écosystèmes; je crois seulement que lorsqu'on a une responsabilité et un devoir d'assistance envers une population en difficulté, on ne fait pas le pari hasardeux d'une exposition coûteuse, et à la fréquentation limitée et incertaine

Dessin de Girerd

Lettre vingt

comme l'est le Biodôme, en détruisant un outil de bien-être et de loisir collectifs qui, par ailleurs, produit des retombées économiques plus sûres avec un moindre coût. Ce fut une décision d'autant plus regrettable qu'aujourd'hui le vélo devient très populaire, au point que des circuits cyclables ont été aménagés autour des îles.

Pourquoi un tel aveuglement de sa part? Vous aimait-il? Vous l'avez pensé, je ne l'ai jamais cru. Que cet homme fût votre alter ego était pure légende; vous n'aviez décidément pas de chance. Après l'Exposition universelle, vous aviez failli démissionner tant il s'opposait déjà à vos choix. Je réalise maintenant que Lucien Saulnier n'avait changé d'attitude qu'en apparence: après avoir été un opposant des coulisses, il le devenait sur scène. Je n'avais pas confiance... Nous attendions de voir ce qui allait se passer quand Jean Deschamps prendrait sa place. Bonsoir, mon cher ami.

Je viens de comprendre votre affection pour la France et votre attachement à ce Canada de la Nouvelle-France. Les Canadiens anglais furent pour vous de véritables occupants et vous fréquentiez notre Président de la République. M. Lesage, fondateur de la Maison du Québec à Paris, prépare l'avenir pour vos compatriotes, ces Français canadiens que nous ne devons pas abandonner.

Mais votre peuple balance devant un choix définitif. Il regarde avec fascination le puissant voisin, mais avec crainte l'anglophone, maître des affaires. Vous aviez raison: les Québécois sont encore loin de la grande aventure.

Vous étiez fier de votre métro et de sa technologie française; fier de cette Exposition universelle qui avait accueilli plus de cinquante millions de visiteurs. Votre cher Montréal était devenu la deuxième ville francophone du monde. Quelle joie! Les larmes vous venaient aux yeux quand vous décriviez ce succès.

En ce qui me concerne, pour avoir suivi, derrière le général de Gaulle en juillet 1967, ce chemin du Roy qui relie Québec à Montréal, vous saviez, pour me l'avoir entendu dire et redire, combien la ferveur de votre peuple m'avait ému à Trois-Rivières où les arcs de triomphe fleuris marquaient l'entrée des villes et des villages. Mon épouse et moi-même découvrions avec émotion cette chaleur et la beauté du français québécois: l'entendre dans les émissions avec cet accent au naturel si coloré et musical, le lire dans les journaux, c'était merveilleux! Quels souvenirs! À bientôt.

Lettre vingt-deux

La Mecque.

Le menu du repas est islamique: plat de riz et mouton. Cela n'a rien à voir avec les réceptions que vous donniez à Montréal! Mais en écoutant ce qui se dit en anglais ou tombe de la bouche de mon traducteur arabe, j'ai le temps de réfléchir et de penser aux moments que nous avons passés ensemble. Durs moments quelquefois, car vous n'étiez pas un homme comme les autres.

Nous parlions de construction et je repense au tour magistral que nous avions joué aux syndicats. J'avais, Français, découvert avec stupéfaction le système canadien des «locaux», ces bureaux de placement des syndicats qui imposent des listes d'ouvriers bloquées aux entrepreneurs; ces derniers, dénommés «contracteurs», n'ont aucune liberté de choix réel de leurs employés sur un chantier: les listes des syndicats sont bloquées; on prend ou on ne prend pas. Quant aux ouvriers ainsi placés, ils sont une main-d'œuvre taillable et corvéable à besoin et reversent au local un pourcentage de leurs salaires. La «négritude» a colonisé les blancs.

Sur le chantier du Vélodrome, les problèmes avec le local des ferrailleurs et des coffreurs ont battu leur plein: des brebis galeuses de la baie James figuraient dans les listes; les locaux, devant l'urgence des travaux, ont exercé à plein leur chantage, avec débrayages des équipes, grèves, blocages techniques volontaires et délibérés, voire sabotages. Mes collaborateurs comme les ingénieurs devaient affronter ces batailles typiquement nord-américaines d'où l'omerta émergeait en symbole du reste, menaces comprises. Le contracteur Desourdy, au lieu de jouer son rôle et de négocier ou de s'opposer, manifestait une totale apathie, ne sachant que trop de quoi il retournait. Deux historiens, Henri Charpentier et Euloge Boissonnade ont d'ailleurs, dans leur ouvrage *La grande histoire des Jeux Olympiques*, paru aux Éditions France-Empire, exposé les faits sans ambages:

«Des raisons principales expliquent le non-respect du calendrier imposé par les maîtres d'œuvre: d'une part, l'évident manque de volonté des coordonnateurs du site, d'autre part, les rivalités politiques municipales. Les adversaires du maire de Montréal ayant trouvé dans ce projet gigantesque l'occasion de s'acharner sur l'esprit d'entreprise de Jean Drapeau... De plus, le chantier devient rapidement le terrain privilégié de la revendication syndicale. Les jours de grève s'additionnent: de novembre 1974 à mai 1976, en ajoutant trente-cinq jours d'intempéries, on constatera cent cinquante-cinq jours d'inactivité, ce qui ne simplifie pas la tâche des responsables. Les Jeux sont pris en otage.

À l'origine, des difficultés constantes dans le secteur du bâtiment, la surpuissante Fédération des travailleurs du Québec, un syndicat qui regroupe à lui seul près de 90% des ouvriers de la "Belle Province".

Le 15 avril 1975, le juge Robert Cliche, chargé en mai 1974 par le premier ministre Robert Bourassa de diriger une commission d'enquête sur la liberté syndicale dans l'industrie de la construction du Québec, rend son rapport.

Une bombe de trois cent cinquante-cinq pages qui confirme les abus du syndicat gang et révèle que la F.T.Q. subit l'emprise de la mafia.»

Ensemble, malgré l'hostilité de Desourdy et avec l'accord de Fernand Bibeau, nous avions mis en place une production de préfabrication, qui, en externalisant la réalisation

Lettre vingt-deux

d'une partie du gros œuvre, réduisait la dictature des relations sociales sur le chantier. Pourquoi? Ces relations pouvaient bloquer les Jeux; Montréal courait le risque d'être la première ville au monde à ne pas tenir ses engagements.

C'est en évoquant cela, assis par terre dans une position fort inconfortable, jambes croisées, que j'expliquai à mes amis arabes les raisons de l'augmentation des coûts de Montréal et la catastrophe que votre choix de la préfabrication avait permis d'éviter; vous aviez dû, pour suivre ce conseil que je vous donnais en tant que donneur d'ordre, vous opposer à votre gérant de travaux qui vous était hostile. La création d'une usine créant quelques centaines d'employés et l'importation d'un savoir-faire était un autre acquis de ces Jeux si bien boycottés. Il faut dire qu'évidemment, pour des gens ne pensant qu'à court terme et à l'échelle d'intérêts personnels, le boycott devenait une activité lucrative à tous points de vue. Ce système qui délocalisait une partie importante des travaux, en évitant le coulage du béton sur place, coupait court au coulage tout court: le sabotage chômait tandis que les pièces se fabriquaient. Échec aux rois du chantage!

J'ai beau avoir parcouru les milliers de pages des rapports de la Commission Malouf, je n'y ai jamais trouvé un remerciement envers votre idée de concevoir une usine capable de construire, à la mode européenne, des milliers de pièces de formes différentes pouvant s'assembler sans difficulté et sans erreur.

Il faut dire qu'en parler, c'eût été abattre un des prétextes invoqués, avec une mauvaise foi outrageante, pour faire semblant d'expliquer les retards et les coûts: la complexité! Parler de l'usine exposait à avouer l'inanité de ce terme pour le Stade; s'envolaient alors avec lui l'arsenal de falsifications accusatrices que devait fournir cette commission. Comme dans La Fontaine, les vrais coupables, ânes chargés de sel, devaient traverser sans encombre le gué des mises en accusation, au détriment des ânes chargés d'éponges que nous étions, plongés dans cette mare nauséabonde: entre ânes et boucs émissaires, le bestiaire local ne nous laissait pas le choix des costumes! Le juge «Mal ouf!» savait les tailler dans du pur Drapeau pour Taillibert! Ses attendus n'étaient pas plus sérieux que mes calembours, juste aussi lourds qu'eux. La complexité, tout professionnel le sait, était résolue bien avant la construction, dans les bureaux et sur les plans des ingénieurs.

Quand je repense à cette époque, et encore aujourd'hui, assis en tailleur sur un tapis, j'ai de la bêtise humaine une vision très nette: le mensonge, impudent au point de ne même pas rechercher la vraisemblance, en est un élément fort. L'homme est corruptible aussi intellectuellement: vous le saviez mieux que quiconque.

Les laboratoires de contrôle que vous aviez mis en place sous l'autorité de Fernand Bibeau furent efficaces: aucune pièce ne fut refusée. Quel succès pour ce «Meccano» géant!

Les politiciens acharnés à votre perte à travers celle du projet, hommes de l'ombre nullement techniciens, ont été complètement dépassés par cette grande machinerie qui fonctionnait jour et nuit sans aléas: j'y tenais comme à la prunelle de mes yeux.

C'est à partir de moules géants réglables suivant la géométrie exigible et répondant à l'assemblage futur, que la France a mis au point cette technique dont vous rêviez tant. Le stade fut monté comme un «Meccano» constitué d'environ mille cinq cents pièces préfabriquées (voussoirs, bas fléaux, fléaux avant et arrière, têtes de poteaux, poutres

Lettre vingt-deux

radiales, planchers, bandeaux techniques, panneaux de couverture fixe...).

L'ingénieur Müller, depuis votre disparition de cette scène où l'on venait vous faire la claque avec des poupées de guignol, a été couronné par la Société des industries françaises, pour avoir construit sur le même principe pratiquement tous les ponts de Floride. Encore un point pour vous: Malouf n'a jamais parlé de cet «inédit» dans les choix américains! Changer de monde et de culture, me sentir dans le calme du désert et de l'Islam, me permet de vous parler de toute cette postérité inattendue de la hardiesse de vos initiatives!

C'était tout cela, votre histoire, avant que «l'omerta» ne vous paralyse. Claude Rouleau, ce monteur de «Meccano», l'avait très bien compris. Tout en laissant derrière lui la tour inachevée du mât, il avait dû faire les Jeux, ceux que vous aviez souhaités et préparés. Devenu président de la R.I.0., il dut gérer la bonne fin des équipements indispensables à la tenue des Jeux. En répondant financièrement, avec des moyens surprenants, certainement appropriés à une échelle des besoins de tous les exécutants dont nous avions dû manquer quelques marches, du petit ouvrier aux plus grands entrepreneurs, en attribuant des participations financières extraordinaires, il avait réussi son challenge: il nous avait promis l'achèvement pour le 21 juin 1976; il fit et donna le maximum pour réussir ce tour de force.

Je me souviendrai toujours de ce déjeuner à la Catalogne, avec vous-même, le vice-président Gérard Nidding, Claude Rouleau et Jerry Snyder: tous les problèmes y furent abordés et résolus dans la volonté de réussir les Jeux. Le miracle après le marasme organisé: ils ne pouvaient plus renâcler. C'est tout le Québec et tout le

Canada qui auraient perdu la face. Nous avions été frappés de voir combien ils pouvaient fournir et de moyens et d'efficacité quand ils l'avaient décidé; de quoi comprendre aussi combien ordre et désordre étaient de même nature, avec des buts simplement opposés!

Je vais vous quitter: nous allons visiter un hôpital spécialisé réservé aux pèlerins de La Mecque. La journée sera encore longue car mes interlocuteurs ne travaillent que la nuit. Je vous retrouverai demain, dans cette conversation que je vous tiens, où l'amitié seule prête des réponses à vos silences: je suis bien sûr de ne pas en trahir le sens. Demain, je serai à Djedda chez un ami important, l'entrepreneur du roi d'Arabie Saoudite.

Lettre vingt-trois

Djedda – Arabie Saoudite.

Après un tour en ville, nous avons déjeuné dans un restaurant qui s'appelle La Tour Eiffel , en rez-de-chaussée sur une avenue de grande circulation. La nourriture ne méritait pas plus de commentaires que l'enseigne... et le champagne local: eau Perrier mélangée à du jus de pomme!

J'ai regretté de ne pas me trouver au restaurant Hélène de Champlain où nous nous restaurions simplement, en discutant de façon constructive de nos projets. Nous ne nous limitions pas qu'au strict travail. Combien de fois m'avez-vous raconté comment, dans votre enfance, les Anglais vous poursuivaient si vous apportiez à l'école des livres en français! Vous évoquiez ce lutrin qui portait un livre de grammaire française, la sœur qui en tournait les pages. J'arrête ces évocations: c'est l'heure de la prière annoncée par l'appel du muezzin. La mosquée est pleine, des tapis se déroulent jusqu'à l'extérieur et tous les fidèles prient à leur rythme.

Quelle différence, apparemment, avec la religion chrétienne! Il me revient en mémoire que vous alliez parfois faire retraite chez les moines de Saint-Benoît-du-Lac. Si votre épouse vous y accompagnait, vous étiez cependant séparés pendant les repas (selon l'usage dans les monastères d'hommes; ce n'était pas pourtant l'Islam, mais notre religion aux ascendances orientales certaines!). Rendons hommage à nos épouses qui nous ont aidés avec passion! La vôtre, que je rencontre souvent, vous a toujours soutenu dans vos combats. Quant à la mienne, vous connaissiez sa discrétion; pourtant, sans elle, je n'aurais peut-être pas poursuivi la bataille que nous avons livrée ensemble, vous et moi, pour être au rendez-vous, le jour venu, avec les jeunes athlètes du monde entier, les trois cent mille invités et le milliard de téléspectateurs qui regardèrent votre ville, la «ville Drapeau», tout au long des Jeux.

Ce jour de succès et de joie, je l'ai raconté en détail à mes hôtes. Vous êtes connu ici, mais la Commission Malouf, elle, pas du tout: elle n'appartient pas à l'histoire de votre ville. J'ai dû expliquer quelle mécanique mensongère entraîna les Jeux de Montréal dans les scandales financiers.

Le déjeuner terminé, je suis parti avec mes amis visiter un musée de sculptures en plein air.

Quelle ne fut pas ma surprise! Tout au long de la route, j'admirais rien moins que des œuvres de Moore, Calder, César et de tant d'autres grands, sur le bord de la Mer Rouge, face au palais royal. Quelle munificence au royaume du pétrole! Les plus grands artistes du monde sont présents dans ce désert, mais la religion y interdit toute représentation humaine; c'est splendide et un peu triste. Tant d'animaux de pierre et de fer… Mon voyage n'est pas fini, je reviendrai vers vous bientôt.

Lettre vingt-quatre

Venezuela - Caracas.

Cher ami,

Le sport! Toujours le sport! Je suis venu ici pour aider le gouvernement vénézuélien à réaliser les Jeux panaméricains. Ce peuple vénézuélien est certainement le plus amical que je connaisse et sa richesse en pétrole peut lui donner beaucoup de facilités. Hébergé au Club des officiers où le général de Gaulle a résidé, j'y ai retrouvé un de nos amis du C.O.J.O., Jerry Snyder. Nous avons beaucoup parlé de l'impôt volontaire et Jerry vient proposer votre brevet pour financer les équipements. C'est drôle, ne trouvez-vous pas? Vous avez mieux réussi, à votre insu, à exporter votre invention financière qu'à importer dans votre propre pays ces valeurs que vous ne cessiez d'invoquer, jusqu'en 1992 où vous écriviez: «Grâce à nos équipements de 1976, notre stade devient un centre de divertissement et de culture désintéressée du corps, ouvert à tous, sous le signe de la gratuité, pour faire pièce au sport perverti par les excès du mercantilisme et l'idolâtrie du vedettariat.» Il est difficile d'être prophète dans son pays!

J'ai volé jusqu'ici en Concorde; quelle machine! Je me souviens du jour où elle survola le stade, avec toute cette équipe de «Franchouillards» à bord, préfets et autres que vous aviez invités à déjeuner. Ce magnifique appareil qui vient malheureusement de connaître son premier accident en trente ans de vols, votre voisin l'éléphant qui veut garder la priorité dans les airs, l'avait voué à l'échec. Kissinger avait prédit avec raison la mort commerciale de cet exceptionnel long-courrier. À Montréal, vos amis américains sont présents et ils écouteront nos conseils; mais ils ne se serviront jamais de nos réalisations puisqu'elles ont le tort d'exister.

Jerry Snyder, en déjeunant, me commenta les exploits de la Commission Malouf. Il me cita tous les falsificateurs de métier et de circonstance qui régnèrent dans ce petit champ clos de la médiocrité arriviste et aventuriste. Quel ami vous aviez là! Il m'a longuement parlé du Comité d'organisation des Jeux Olympiques, du bénéfice des Jeux eux-mêmes (deux cent cinquante millions de dollars environ). Pourquoi, me disait-il, a-t-on confondu Jeux et équipements immobiliers? Ce ne sont pas les mêmes amortissements! Personne au monde ne peut amortir en trois semaines des investissements sur vingt ans!

Ce petit jeu politique, semblable au «bonneteau» où l'on fait changer de place très vite cinq boîtes renversées sous l'une desquelles se trouve un sou qu'il faut retrouver quand la manipulation est terminée, fut bien mené financièrement par vos adversaires. Votre «baignoire», pour reprendre l'image du caricaturiste Girerd qui symbolisait ainsi vos budgets, fut une réussite: le rapport du C.O.J.O. en 1981, avec la loi sur les monnaies et la loterie, en témoigne; tout aurait été payé si la Ville avait pu gérer elle-même.

Mais M. Robert Bourassa en jugea autrement; il avait découvert là une source inépuisable de revenu pour sa politique, amis et même adversaires, puisqu'il fut battu en laissant le mécanisme en place pour ses successeurs, ce qui couvrira tout le monde. (Ah! Vous avez enfin compris, M. Taillibert! Nous avons inventé la «dette éternelle»!)

Vous m'en aviez parlé vous-même, mais je doute, finalement, que vous ayez réellement perçu à quel point ce fonctionnement était pervers, ni à quelles dimensions il allait atteindre. On continue à cacher la vérité aux électeurs car on

Lettre vingt-quatre

approche maintenant des trois milliards. La «complexité» du projet de l'«étranger» a bien servi à certains, comme à leur «Meccano» sans monument, fort discret, presque invisible. Une architecture du vide...

À croire que le mensonge, en démocratie, c'est la stabilité. À bientôt.

Rio de Janeiro.

Depuis quelques jours, je séjourne ici, à la demande de notre ami le président de la Fédération internationale du football amateur, Joe Havelanche, qui me fait découvrir la grandeur et la richesse de son Brésil. Mon épouse et ma fille m'accompagnent pour lui rendre visite dans sa magnifique résidence de l'avenue Niemeyer. Puis s'engage, pendant le dîner, une grande discussion dont vous êtes la pièce maîtresse.

Depuis que je circule dans le monde entier, je n'ai jamais rencontré d'homme manifestant autant d'admiration pour vous que lui. C'est avec un langage parfait qu'il parle des Jeux de Montréal et de leur organisation; son ton change et devient agressif quand il parle de nos ennemis, car pour lui, vous êtes le Messie du sport. Vous aviez grandi le Québec et le Canada.

Pour lui, je suis «l'ingénieur»: — «Monsieur l'ingénieur, vous avez réussi une merveille grâce à ce maire, car c'est lui qui a tout préparé. Rappelez-vous, Monsieur l'ingénieur: je suis allé avec vous visiter le Stade en construction, mais ce que je retiendrai, c'est cette usine extraordinaire protégée par la police, en raison des problèmes posés par les relations sociales, ces terribles syndicats! Comment avez-vous pu passer à travers tous ces handicaps?»

— «Eh bien! Monsieur le président, lui répondis-je, nous avons eu la foi et Monsieur Drapeau avait pour vous une estime sans limites; il avait confiance en votre appui et en votre détermination à conduire au succès cette grande entreprise.»

Lettre vingt-cinq

Je le vois encore, dans votre bureau, vous félicitant de l'œuvre que vous aviez accomplie pour la jeunesse, de votre ténacité face aux politiques de nos deux gouvernements.

Je me souviendrai toujours de cette phrase, si caractéristique de son attitude: «Je me bats pour le sport et avec le football. Je veux que la jeunesse du monde entier aspire à découvrir les meilleurs talents et ceci, dans les couches les plus pauvres de notre société.»

Vous aviez immédiatement noté cette phrase généreuse, car *verba volent, scripta manent.*

C'est en Tunisie que je l'avais rencontré pour la première fois, alors que j'y construisais l'école du pétrole de Gabès et la cité des étudiants de Sousse.

«Monsieur l'ingénieur, m'avait-il dit, après que notre stade fut terminé, vous avez réalisé un ouvrage exceptionnel pour ces Québécois; dites-le au maire Drapeau». Ce que je fis immédiatement en vous appelant au téléphone.

Vous m'aviez accompagné un jour au Ritz, place Vendôme, alors que j'avais rendez-vous avec lui pour la Coupe du Monde en France. D'emblée, ce grand et sympathique personnage nous embrassa dans un grand élan d'émotion et notre discussion s'engagea, que vous suiviez avec beaucoup d'attention. Il vous avait demandé pourquoi la Coupe du Monde n'avait jamais eu lieu au Canada. Je vis, derrière le miroir de vos lunettes, votre souffrance de ne pas pouvoir agir, vous, en tant que Ville de Montréal, pour offrir à la jeunesse une Coupe du Monde, et vous ne l'avez pas caché, mais sans rancune. Vous vous désespériez de voir le gaspillage sportif échu à nos malheureux héritiers, bien malgré vous, comme de constater que la Régie des installations olympiques avait oublié cette manifestation mondiale. Vous aviez senti la puissance de cet homme. Il nous avait expliqué comment la France réussirait à obtenir l'organisation de cette coupe mondiale. Joe Havelanche vous avait dit: «Ce sera le président Chirac qui inaugurera cette coupe», tout en analysant pour nous l'échec du Maroc dont il aurait voulu qu'il fût la première nation d'Afrique à remporter cette victoire. Vous aviez visité ce pays magnifique que je ne connaissais pas, auquel vous deviez peut-être d'avoir obtenu les J.O. à Montréal, puisque d'après votre ami le Colonel Crespin, directeur des Sports en France, c'est Oufkir qui vous soutint.

Je termine au Maroc cette lettre commencée à Rio: je suis venu ici pour aider à l'obtention de la Coupe du Monde de football: curieuses coïncidences et étranges caprices de l'histoire.

Je vous quitte. Ce matin, je repartirai pour Paris, mais vous entretiendrai vite, certainement, d'autres nouvelles, dans mon impénitent besoin de continuer la conversation avec vous. C'est qu'un champion de tennis, membre du C.O.J.O. que vous, comme moi, avez bien aimé, le juge François Godbout, doit m'appeler. À demain.

Lettre vingt-six

Rabat.

Il est huit heures du matin, heure de Montréal, et quinze heures pour moi, heure de Rabat. J'attends une visite importante car, Dieu merci, malgré les fossoyeurs de la vérité et leurs procédés, j'ai toujours pu voyager et m'exprimer sans contrainte.

Dans tous les pays que je visite, je retrouve nos amis, notre «fan-club» mondial – «Ah! cette Exposition, quelle réussite! Montréal, quelle belle ville!» Je suis toujours sensible à ces expressions partant du cœur. Je relève aussi, avec un sourire que je dédie dans sa noirceur à mes détracteurs québécois, que je suis devenu, aux yeux de beaucoup dans le monde, une sorte de représentation, une ambassade de fait de Montréal! Tout le monde ne pourra pas en rire comme moi!

François Godbout, juge de la jeunesse au Canada, qui fut l'un de vos anciens collaborateurs, a gardé beaucoup d'amitiés dans le monde du sport. Je le rencontre à chacun de mes voyages à Saint-Sauveur où il vient dîner. Quel beau nom, Saint-Sauveur! J'y retrouve des gens sympathiques depuis vingt ans que j'y passe mes vacances (si l'on peut dire!). À mes premiers séjours, je rencontrais souvent «aux glissades d'eau», Pierre Elliott Trudeau avec ses enfants, rencontre toujours très agréable.

Mais aujourd'hui, jour de Pâques de l'an 2000, François Godbout me téléphone pour me parler de votre présence encore bien vive dans l'existence de votre ville. Même s'il refuse de devenir maire de Montréal, comme vous le souhaitiez et m'aviez chargé de le lui demander, il reste actif et vigilant sur le devenir de vos actions. Depuis que vous avez quitté, les larmes aux yeux, votre siège de maire, votre ville n'avance plus et l'image sociale que vous aviez défendue ne se développe que très lentement. La plus grande idée surgie dans la tête de ses grands hommes actuels, c'est d'arroser les fleurs et de détruire ce que vous aviez fait.

«Eh bien! J'ai une bonne nouvelle! Vous avez une minute?» François Godbout me lit alors un article de la *Presse* et les déclarations de deux journalistes étrangers venus assister à du base-ball. «Je vais vous le télécopier car c'est extraordinaire; ce sont de véritables étrangers qui nous donnent raison!» Effectivement, l'article me mit du baume au cœur. Il expliquait pourquoi et comment le stade de Montréal était le meilleur de toute l'Amérique du Nord.

Où sont les Malouf? les Bourassa? les Leclerc? Tous vos ennemis, vos démolisseurs? Le temps serait-il vraiment ce tribunal que vous attendiez de voir siéger avant d'aller vivre chez les anges?

Je me souviens de nos derniers propos: «Le stade est assez fort pour se défendre tout seul face à ces imposteurs.»

Cette morale-là vaut mieux que beaucoup d'autres du cher La Fontaine: dites-le à vos amis et vos ennemis si vous les rencontrez là-haut.

Lettre vingt-sept

Paris.

Je suis enfin rentré d'un voyage fatigant mais enrichissant. Au cours de mes déplacements, j'ai compris à quel point notre extraordinaire monde contemporain doit s'occuper de sa jeunesse. Tous les propos que vous entendiez de la part de cette dernière, l'ivresse que vous l'aviez vu manifester à la lecture de la vie du baron de Coubertin, vous avaient conforté dans votre analyse de la valeur humaniste et planétaire du sport dont la justesse se vérifie une fois de plus. Aujourd'hui, drogues et assassinats constituent des éléments banals d'une culture que l'humanité ne peut accepter mais qui, hélas, s'insinue dans nos villes.

Les Jeux Olympiques se poursuivent de plus en plus comme une course folle à l'argent: j'ai honte des attaques et des insultes que vous aviez reçues pour avoir récolté avec succès trente-deux millions de dollars de droits télévisuels, alors que Munich n'en avait touché que douze. C'est près de deux milliards de dollars maintenant qui ont été recueillis avec votre technique. Vous avez fait école avec votre idée d'impôt volontaire. Ce n'est peut-être pas celle dont vous rêviez! M. Girerd, qui vous poursuivait dans *La Presse* de ses humoristiques dessins de baignoire à fuites, avait dû pressentir que vous aviez, une fois de plus, inventé quelque chose d'intéressant! C'était une image magnifique, pleine de sens cachés. Il ne faut pas douter que le temps révélera les portraits à l'encre sympathique des hommes invisibles toujours occupés à tirer la bonde.

Ce matin, je lis dans le journal *Le Matin de Rabat* que le célèbre «Çam'arrange», l'actuel président du Comité

Lettre vingt-sept

international olympique, a donné des chiffres fort intéressants. L'I.A.A.F. (la Fédération de l'athlétisme amateur international) touchera, pour les Jeux de Sydney, une somme colossale correspondant au partage des droits télévisuels de Sydney et mercatiques du Comité international olympique. L'argent coule à flots dans les Jeux: les stades deviennent des caisses de résonance planétaire où des messages de toute nature peuvent valoriser une puissance ou l'inverse. Quel sera l'avenir du sport dit «amateur» pour lequel vous aviez inventé toutes ces pompes à finances?

C'est à Lausanne, ville que vous connaissiez parfaitement, que ces chiffres furent révélés; vingt-huit autres fédérations recevront des cadeaux similaires.

L'ère de Brundage, le président américain antiraciste, antixénophobe et prosélyte ardent de l'amateurisme, celle de Killanin, le lord irlandais ennemi des drapeaux et démocrate élégant et inquiet, sont bien révolues: les Jeux sont devenus des jeux d'argent — Montréal a peut-être été l'inventeur d'un dispositif financier extraordinaire.

Je me souviens du dîner de clôture avec Monsieur Adler, le président d'Adidas, que vous deviez rencontrer car cette entreprise pouvait influencer les votes avec une puissance sans rivale. Vous aviez prévu que les Jeux Olympiques se développeraient sans aucune limite: argent, dopage et tous les moyens pour retentir sur la planète.

Pour le champion de l'olympisme véritable que vous fûtes avec tant de panache et de foi, ce n'était pas une prémonition très joyeuse. À bientôt.

Paris.

Quelles ont été les vraies raisons de votre combat? Pourquoi, vingt ans plus tard, la cuirasse de protection des falsificateurs et mystificateurs est-elle toujours aussi solide? Peu à peu, pourtant, jour après jour, la transparence progresse.

Le dernier des présidents de la R.I.O., homme respectable qui aimait le sport, n'est resté que quelques mois. S'étant aperçu de l'horrible cuisine, il est sorti avant le désastre et s'est confié au juge Godbout sur l'évolution sportive des équipements.

De nouvelles nominations ont souvent lieu, comme celle de M. Morency, un ancien ingénieur des services de M. Charles-Antoine Boileau qui ne vous portait guère dans son cœur. Il faut des ennemis, me diriez-vous. Mais cette R.I.O., c'est une piscine sans fond. Le tonneau des Danaïdes doit lui servir de modèle. C'est du moins le cas depuis le départ de Claude Charron, ministre des Sports qui, ayant à cœur le sort de la jeunesse, se trouvait donc pressé de lui offrir, dans la zone est populaire, des équipements sportifs de haut niveau. Cet homme d'idéal, auteur un temps de l'émission *Le match de la vie*, et qui continue à être un homme de télévision de qualité, pouvait difficilement faire école dans ce contexte!

Je réfléchis à la toiture mobile, au mât impossible à construire en 1976, aux obstacles successifs venant de vos «amis» ou des opposants au projet. Le drame ubuesque de la toiture mobile est exemplaire. Lavalin dut respecter l'architecture Taillibert, mais il ne respecta pas son projet: il en inventa un autre avec l'appui de ses rivaux techniques, les Allemands. Les erreurs commises et fort coûteuses de cette entreprise omniprésente furent constatées par un comité d'experts internationaux, dont un Allemand intègre, (on pourra juger curieux que je le relève!), M. Harold Muhlberger, qui a dit la vérité: manque de pré-tension, pas de stabilité, mauvaise coupe, non-respect de la géométrie, erreurs dans les coutures.

C'est que votre ville a connu une première mondiale, moins glorieuse que vos succès: un marché clés en main qui fut remis en cause. L'auteur d'un tel exploit ne pouvait être que l'entreprise québécoise multinationale Lavalin, qui exigea des crédits supplémentaires! La puissante machine à transgresser les règles démocratiques a bénéficié d'une excellente ingénierie: elle a fonctionné plus longtemps que sa toiture! Il est des étourdis qui perdent leur parapluie; d'autres les usent jusqu'aux câbles…

Succédant à M. Lucien Saulnier, M. Deschamps, nouveau président de la R.I.O., homme intègre que j'ai bien connu à Paris, ne se gêne pas pour parler de «panier de crabes». A-t-il voulu parler de son personnel de la R.I.O. ou du système de copinage? Vous seul auriez pu le dire; le peuple n'en saura probablement jamais rien.

Le plus malheureux et le plus scandaleux dans cette affaire, c'est que ses mauvaises réalisations ont servi à Lavalin d'alibi pour vous enfoncer, et moi avec vous. Je suis devenu un masque idéal que l'on promène à merci dans ce carnaval, protégeant des anonymats honteux; je n'ai été en rien responsable des erreurs de construction, pour n'avoir jamais rien pu ni dû contrôler ou gérer, n'en étant pas en charge. Cependant, on m'impute tous les problèmes alors même qu'ils découlent du non-respect de mes préconisations et des concepts techniques de ma création. Le masque Taillibert sert à maintenir le mythe de l'erreur Drapeau-Taillibert. Le système est pervers: on justifie par des critiques non fondées et non vérifiées des contrats d'études aux coûts prohibitifs; on produit des rapports alarmistes et critiques sous forme très technique pour créer l'urgence dans la difficulté. Seules d'énormes entreprises aux moyens importants peuvent alors se porter au secours d'une situation aussi grave. Aucun concurrent ne possède les moyens suffisants pour intervenir: pas de concurrence, pas de moins-disants. Tout est bénéfice, héroïsme et efficacité. Quand, à la sortie, après une addition de quelques millions de dollars en plus, le voile se déchire avec la toile, Hardi, compagnons! Sus au félon, à l'étranger! Je sers à tout.

Nous avons essayé de nous défendre contre toutes ces attaques; dans un échange de correspondance, la Régie olympique a reconnu avoir utilisé la diffamation à mon égard. Bravo! Ses membres relèvent presque tous de ce club de francophones-francophobes-américanophiles auquel le général de Gaulle n'avait rien compris; je suis consterné.

M. Roret, ingénieur général et expert international, a, dans son rapport, «félicité» Lavalin parce qu'elle avait «presque» réussi (subtil morceau de bonne rhétorique), mais a porté des critiques sévères sur l'anneau technique et sur le doublement du poids de la toile (quatre cents tonnes au lieu de deux cents) dont elle était l'inventeur. Enfin, et pour mieux faciliter la compréhension, il est devenu précis par l'exposé des calculs qui permettraient une utilisation rationnelle en compensant, a posteriori, les erreurs initiales de la conception Lavalin.

Tous ces points ont été ré-analysés et confirmés par le professeur et ingénieur suisse Casondey. Voici la vérité sur la

Lettre vingt-huit

toiture mobile. Je souhaite que tous les malheureux payeurs de taxes québécois l'entendent un jour. Ils ont été, *de facto*, les financiers d'une grande entreprise privée.

En ce qui concerne le mât, c'est une bataille sans règle qui s'est livrée, semant le doute et l'invraisemblance, pour camoufler de mauvaises raisons commerciales: Lavalin voulait introduire une entreprise spécialisée en structures métalliques, principe qui rendait pourtant la construction hétérogène.

La seule décision dont on puisse se féliciter, c'est le recours à mes confrères suisses pour réaliser le funiculaire: je crois que c'était une première mondiale sur une telle courbe.

Je reprendrai les malheurs du toit et la longue suite des «nouvelles idées». À demain.

Dernièrement, un des hommes de robe qui défendaient mes intérêts est venu déjeuner dans un restaurant italien proche de mon agence, où l'écrivain Joseph Kessel avait table ouverte.

Je le questionnai d'abord sur mes procès en cours, lui confiant que son métier me semblait pénible. «Pas comme vous l'imaginez, me répondit-il, car c'est vous, clients, qui préparez les dossiers: nous ne connaissons rien à la technique. C'est amusant, et puis nous nous connaissons tous au Québec.»

Par ailleurs, mon homme de loi poursuivit: «J'ai toujours été attiré par la grande plaidoirie, et vos causes sont spectaculaires. En fait, nous prenons le relais puisque vous nous préparez le travail. Nous ne pouvons, nous, hommes de robe, connaître tous les cas hypothétiques qui découlent d'une règle générale de la contradiction.» —«Mais dites-moi à quoi servent les lois si elles ne permettent pas de révéler la vérité? Ce juge Malouf a jugé le maire Drapeau sans s'appuyer sur vos lois canadiennes.» —«En fait, nous traduisons votre langage pour que le juge se charge d'instruire l'affaire et de juger, mais un jugement se monte sur les pièces; ne m'aviez vous pas dit tout à l'heure que de nombreuses pièces manquaient ou avaient été détruites dans le dossier olympique?» —«Oui, j'ai bien dit cela.» —«Mais un juge, répond mon avocat, peut trouver des armes pour attaquer votre équité. Cela existe dans tous les pays du monde. Regardez derrière le rideau de fer: c'est au prévenu d'avoir les arguments et les preuves pour se défendre; c'est

Lettre vingt-neuf

peut-être un combat inégal, mais pas toujours. Regardez le jugement Gonthier; il est exemplaire et tous les attendus ont fait basculer les conclusions de cette Commission Malouf du mensonge à la vérité.» —«Serait-ce la raison, selon vous, pour laquelle Jean Drapeau a abandonné son intention de répondre, demandai-je alors à cet homme de robe, parce qu'il était satisfait de ce jugement?»

Le juge Gonthier avait pourtant dû réduire, à la vue des exactions financières dont le chantier olympique avait été victime, de trente-trois pour cent le coût des installations, afin de pouvoir régulariser les honoraires à moindres frais. Il tenta ainsi de restituer une vérité des prix dans le respect des intérêts du contribuable. Louable intention, dont on peut seulement regretter qu'elle intervint trop tard, quand les coupables du trou financier s'étaient bien servis et qu'il ne restait plus que du petit gibier à tondre, innocent de surcroît. Je parle bien sûr de votre serviteur, le mouton noir Taillibert.

Certains hommes de robe coûtent cher, (j'exempte le juge Gonthier de cette remarque) tout en sous-estimant le coût de la matière grise et du travail exigés de l'architecte et de son équipe. N'ont-ils pas même valeur que les leurs? Cher Drapeau, vous fûtes aussi un homme de robe, et pour de grandes causes, celle de la propreté morale entre autres. Vous connaissiez admirablement les mécanismes de la justice. C'est sans doute pourquoi vous ne redoutiez pas de vous trouver face au tribunal du temps, plus sûr que celui des hommes.

Moscou.

Vous ai-je jamais raconté que le secrétaire perpétuel de l'Institut de France m'avait demandé de l'accompagner à Moscou au Congrès mondial de la culture, présidé par le président du Soviet Gorbatchev et son épouse Raïssa?

Diverses réunions eurent lieu, suivies de repas en ville dont vous ne pourriez imaginer le faste. C'est la «Nomenklatura» qui organisait la plupart de ces dîners. Les tables de vingt-cinq mètres de long regorgeaient de tous les produits, fruits et autres, provenant de Georgie; c'était l'abondance. Vers minuit, des danseuses du Bolchoï vinrent nous éblouir au moment du dessert.

Ces agapes nocturnes furent une révélation. Il y avait un contraste ahurissant entre notre chambre d'hôtel et cette abondance. À l'hôtel, l'eau ne coulait pas dans le lavabo; le confort sanitaire était absent, alors que dans la salle des banquets, le vin manquait moins que l'eau sous la douche!

Nous étions dans un autre monde. Le matin, je déjeunais avec Peter Ustinov qui est devenu, depuis, un membre de notre Académie. Nos commentaires furent très différents: Ustinov voyait venir le changement profond qui allait secouer ce pays.

À la clôture de ce congrès mondial où de grands philosophes du monde entier étaient présents (américains en grand nombre), tout le monde réalisait que nous étions à un tournant de l'histoire.

Le déjeuner de clôture au Palais du Kremlin redoubla de faste. C'était la deuxième fois que je pénétrais dans ce vaisseau qui fit trembler le monde. J'en garde des souvenirs très précis. Les invités furent contrôlés à l'entrée, avant de pouvoir accéder à une immense cour où étaient exposés les canons pris à Napoléon. Les portes du Palais s'ouvrirent et nous pûmes entrer.

Impressionné en traversant la salle Saint-Michel ornée, en lettres d'or gravées, des noms des soldats russes disparus, j'y rencontrai nos amis Paul Desmarais et Pierre Elliott Trudeau. Tous deux s'apprêtaient à traverser la Sibérie avec le Transsibérien; long mais intéressant voyage.

Le déjeuner eut lieu et, à ma grande stupéfaction, tout le personnel était en smoking bleu nuit. Quel apparat! Nos deux amis canadiens n'étaient pas très loin. À ma table, Peter Ustinov, parlant le russe, nous livrait ses commentaires inédits sur la politique: les Russes, impressionnés par l'avance technique américaine, allaient laisser tomber prochainement le mur de Berlin, ce qui arriva. De ma table, j'observais celle où se trouvaient nos deux Canadiens.

Vu l'ampleur de la réception, je ne pense pas avoir été pour eux un point de mire particulier, mais je surprenais dans les regards qu'ils se jetaient, une sorte de complicité anti-Drapeau persistante. Même à Moscou, tout le monde parlait du déficit: il fallut expliquer ce qu'est, en démocratie, une dette éternelle.

Les Jeux ont eu lieu à Moscou et l'Amérique n'est pas venue. Je peux vous dire que personne ne connaîtra l'ampleur de l'investissement soviétique. Les finances, ici, ne sont pas transparentes et si l'omerta règne aujourd'hui, à cette époque, c'était le K.G.B. qui s'occupait de régulation financière.

Dans les groupes qui se formèrent autour du président Gorbatchev, les discussions furent différentes, mais je me rappelle une réponse du président soviétique: «Vous autres, Occidentaux, vous voulez nous attaquer. Voilà la raison de notre super-puissance militaire.» J'ai pris le contre-pied de ces arguments belliqueux. Je n'avais aucune compétence politique, mais j'affirmai que jamais l'Ouest n'avait eu cette idée car personne n'y voulait plus de la guerre. «Un nouveau monde est né, Monsieur le Président, où bien-être et paix s'appuieront sur la culture.»

Ces souvenirs sont restés tellement gravés dans ma mémoire que j'aurais pu vous en parler au présent, comme si je rentrais à l'instant de Moscou. Tant d'eau sale a pourtant coulé depuis lors sous les ponts de ce pays!

Il est certain que nos économies sont bien différentes et je me suis toujours demandé si nos amis canadiens, rencontrés dans les salons soviétiques, avaient finalement eu l'audace de poser des questions sur le déficit olympique russe. Il est bien dommage que je n'ai plus revu Pierre Elliott ces dernières années; je crois que cette question méritait une réponse.

Mon voyage se terminera avec des membres de l'armée russe: nous devions localiser des sites en vue d'obtenir à Sotchi, dans le Caucase, un avis pour l'emplacement des compétitions olympiques d'hiver. Je dois vous dire que les sites (et vous les voyez peut-être de votre altitude actuelle) sont fantastiques. Quel beau pays!

Lettre trente et un

Lausanne.

Comme vous le savez, je vais très souvent à Lausanne, mais il y a du nouveau. Le très riche président du C.I.O., M. «Çamarrange», a fait construire un palais pour y représenter la force permanente des Jeux Olympiques. Superbe réalisation où la richesse brille sur tous les murs: marbre omniprésent, parc dévalant jusqu'au lac... Nous voici bien loin du Château de Vidy, la résidence modeste du baron de Coubertin à Lausanne, tellement plus simple.

On parle peu de Montréal; le grand homme ayant légué au Musée toute sa collection de timbres olympiques, on parle de quelques timbres de la collection impériale.... mais on observe un silence total sur tout le reste de vos équipements. Le règne de M. Killanin semble bien lointain. On commence à exploiter l'image de la R.I.O. et de ses dépenses, ainsi que les outrances médiatiques des Jeux Olympiques, Drapeau-et-Taillibert, le consortium fatal, figurant à nouveau en vedettes américaines dans la fresque!

Après la couverture d'or que les droits télévisuels réussirent à produire, il semble peut-être opportun au C.I.O., devant l'abondance des candidatures, d'enterrer les Jeux de Montréal dans leur paternité de ces nouvelles mannes financières; il lui semble peut-être salutaire de ne parler que des villes où les diamants brillent — Moscou, Barcelone, Los Angeles, Atlanta —, avant que ne s'accomplisse la destruction définitive des équipements montréalais, Stade, Vélodrome et demain, piscines.

Le C.I.O. se pose — certainement! — des questions quant à l'évolution du sport à Montréal et au Québec.

Aujourd'hui, la jeunesse et le sport canadiens que vous aviez défendus avec un idéalisme de la veine de celui du baron de Coubertin, ne sont plus qu'une image sur Internet. C'est pourquoi vous êtes regardé, par certains hommes politiques, comme un destructeur du sport. Quand l'idéal est trahi... pourquoi ne pas trahir les idéalistes aussi?

Le C.I.O. a obtenu son audience internationale sans référendum — il a la souveraineté financière. Le Québec attend la sienne mais cela viendra avec plus de difficultés, car les moyens médiatiques ne sont pas les mêmes; le temps effacera sans doute les heures sombres.

Lucien Bailly, qui a formé des cyclistes québécois, réside maintenant à Lausanne où il est conseiller technique du cyclisme. Également conseiller technique international, il aime les Québécois. Deux à trois fois par an, il va se reposer au Québec.

Il me téléphona hier, à son retour de Chine où il venait d'homologuer quarante vélodromes couverts et découverts. Il n'a pas oublié les batailles que vous aviez menées pour obtenir ce véritable palais des sports. Il ne comprend pas non plus l'esprit destructeur qui règne dans votre pays, tout cela pour construire une halle à des pingouins. Ces derniers sont-ils cousins de...?

La R.I.O. m'a parlé d'un déficit d'un million de dollars pour le Vélodrome (piscines, sports de glace etc.); il ne lui semble pas très important de perdre dix millions par an en déficit budgétaire pour une exposition de panneaux statistiques sur les écosystèmes de l'Amérique. Nous savons tous combien vous aviez souffert de la décision de Robert Bourassa de détruire ce patrimoine sportif polyvalent, pouvant servir toute une palette de sports: cyclisme, tennis, volley, boxe, basket.

Lettre trente et un

Tout cela a été cassé et la ville a accepté ce cadeau sans avenir, qui prive la jeunesse d'équipements exceptionnels.

La dalle-promenade qui entourait le bâtiment a été détruite; un architecte, directeur de la construction de la R.I.O., dont le talent méconnu servait à la gestion des biens de l'État à cette époque, la trouvait gênante... Je sais combien vous étiez furieux du massacre de vos réalisations et de leur sens.

Ce matin-là, il était onze heures pour vous à Montréal quand vous m'aviez appelé. Vous m'appreniez que Robert Bourassa était gravement malade, tellement malade que quinze jours plus tard, il devait nous quitter.

Je vous ai toujours su tenace. Depuis longtemps, une question vous hantait l'esprit: qu'était devenue la lettre du gouvernement fédéral l'engageant à participer au déficit, c'est-à-dire, la lettre de garantie?

Il ne fallait surtout pas restituer ce document. Mais Robert Bourassa, peut-être écrasé par sa maladie, donna satisfaction au gouvernement supérieur et le rendit. Vous étiez si décontenancé! Les circonstances limitaient les critiques, certes, mais cette restitution avait des conséquences très graves. Ici, encore une fois, nous découvrions tous les artifices qui participaient au piège, «l'enfargeage», ce mot canadien si rêche et expressif pour exprimer l'action d'enfoncer, de faire échouer, programme si bien perpétré par les ennemis du sport depuis le début de nos entretiens et de la préparation des Jeux.

Cette lettre de garantie obligeait, en effet, le Fédéral à combler le déficit des Jeux, ce qui avait pour conséquence de rendre la propriété des équipements à la Ville, ainsi bien sûr que leur gestion. C'était vous faire pièce que de la récupérer, en oubliant le tort ainsi commis envers le peuple québécois. La dette perpétuelle pouvait ainsi persévérer, continuant à grignoter le legs généreux et superbe de vos réalisations dont le pouvoir anglophone ne pouvait que souffrir. Vos victoires renchérissaient, en effet, sur une identité rivale, celle des

Lettre trente-deux

francophones; séparatistes ou fédéralistes, ces derniers, indifféremment, devaient, doivent s'amalgamer pour rassurer; le fédéralisme anglo-saxon s'imprègne encore de réflexes colonialistes et rien n'était plus menaçant pour eux que l'aura de Montréal ayant spectaculairement réussi un coup de *maître* et persévérant sur sa lancée glorieuse en menant de grandes compétitions. Enfin, cette dette sempiternelle, cette fuite sans fin de la baignoire que les Montréalais n'ont pas le droit de colmater, c'est l'encouragement au découragement: rien de grand ne peut fonctionner correctement sans l'aide des grands cousins ennemis. Le complexe culturel est l'élément stable de la soumission au modèle victorieux et l'échec, une garantie de dépendance. Simultanément, les fuites alimentent forcément d'obscures petites rivières souterraines dont le débit sert à son tour aux grands cours... Que d'eau, que d'eau! Montréal n'est à sec ni pour ceux qui coulent, ni pour ceux qui se mouillent, juste ceux qui doivent sombrer. La dette doit durer.

Je sais que lorsque vous vous rendiez à pied dans certains restaurants de la ville, vos électeurs vous arrêtaient et vous adressaient cette phrase devenue ritournelle: «Ne lâchez pas, Monsieur le Maire.» Votre réponse était toujours celle de l'optimisme: «Il n'y a pas de problème, on trouve toujours des solutions.»

Je me souviens de notre idée première, élaborée avec le ministre François Cloutier que je vois souvent en France. Il s'agissait, si j'ai bonne mémoire, de laisser en héritage le complexe olympique comme centre d'entraînement pour toutes les disciplines sportives. Qu'en est-il? Calgary a obtenu les Jeux Olympiques d'hiver en 1980, dans une région anglophone, et a reçu tous les moyens fédéraux pour devenir le lieu d'entraînement le plus important. Il ne fallait pas que des sportifs viennent à Montréal, et surtout pas dans l'est de la ville: la directive venait de haut. Vous aviez souvent écrit vos analyses à ce sujet. C'est une politique organisée pour attaquer les fruits de votre gestion.

Vos ennemis n'ont jamais eu que la démolition comme arme et argument.

Lettre trente-quatre

Je crois vous avoir dit, avant votre grand départ, que l'un de mes anciens collaborateurs, M. Maire, polytechnicien qui a participé à la réussite de l'ouvrage important entrepris à Abou Dhabi, m'avait appelé alors qu'il était au Canada. Il se trouvait dans la province de l'Île-du-Prince-Édouard où il participait à la construction du Pont de la Confédération avec une entreprise française de Calgary, construction pour laquelle les techniques étaient celles mises en œuvre au Parc olympique. Là s'arrêtent les comparaisons: les difficultés syndicales que nous avions connues à Montréal étaient absentes du chantier de l'Île-du-Prince-Édouard.

Et là, je vais vous faire rire: le projet de votre mandataire coordonnateur, Lavalin, coûtait le double des prévisions initiales. Pas étonnant, n'est-ce pas, que le stade ait coûté plus cher que prévu du fait, exclusivement (!), d'une technologie inédite au Canada!

Ce fait précis devrait vous intéresser, si vous vous préoccupez encore un tant soit peu de nos petites misères d'ici-bas, car l'ouvrage fonctionne et il est bien terminé, au contraire du Stade; ce qui prouve, une fois de plus, que nous avions raison. Il est tard, je vais me coucher.

Lyon.

Je suis à Lyon. Le maire, M. Raymond Barre, venait toujours vous voir lors de ses passages à Montréal. Quand il avait visité le Stade, il avait manifesté une grande sensibilité.

J'ai pris ce matin le T.G.V., ce train rapide qui libère l'espace aérien: je sais combien vous étiez attaché au projet de ce type de liaison entre New York et Montréal.

Vous étiez allé à Albany; Sofrerail, bureau d'études français des chemins de fer d'où est sorti le T.G.V., était venu travailler avec vous plusieurs fois et les conclusions semblaient positives: départ de Mirabel, deux arrêts et arrivée à New York, en trois heures.

Cette idée ne plaisait pas à tout le monde; peut-être parce que le T.G.V. était français; peut-être aussi parce que c'était Jean Drapeau qui l'avait émise. Je pense que votre idée sera reprise le jour où un avion s'écrasera sur la ville, ce que je ne souhaite pas mais redoute, vu la densité du trafic sur Dorval; la raison alors l'emportera.

Peu d'hommes vont vers l'avenir. Cet immobilisme est le pire handicap de la pensée et de la sagesse humaines.

À bientôt.

Lettre trente-six

Je viens de relire la copie de la lettre que vous aviez adressée à M. Jacques Chirac, votre homologue, maire de Paris; vous savez combien j'avais été sensible à son contenu et aux affirmations que vous y aviez faites à mon sujet.

Vous m'aviez aussi joint sa réponse qui était réconfortante. Le virus lancé par la Régie internationale olympique n'avait pas encore atteint Paris. Ce n'était qu'une question de temps: ceux-là même qui s'opposèrent si assidûment à vos larges prospectives, colonisateurs et colonisés réunis dans un même réflexe xénophobe par un souci de souveraineté aussi sourcilleuse qu'étroite, ceux-là s'en sont chargés comme d'habitude. Le monde est ainsi fait.

Mériter votre amitié fut pour moi l'un des beaux cadeaux que me fit la vie, car elle était d'airain — que dis-je? — de béton: loyale, courageuse, à toute épreuve même, et élégante. Votre solidarité dans les difficultés dévoilait autant vos qualités de cœur que d'esprit, n'usant pas plus d'ambages que votre idéaliste vertu. Je ne résiste pas à vous renvoyer des passages de cette lettre, comme si c'était vous renvoyer, où vous n'en avez plus besoin, de ce merveilleux recours que vous m'offriez ainsi. C'est aussi un bonheur de retracer ces mots car vous aviez une «sergent major» fort acérée et élégante qui laisse à lire une colère comme les justes en ont... qui n'avait rien à voir avec la «rondeur» de votre personne.

Lettre trente-six

«(…) Au vu du rapport d'un comité formé d'architectes et d'ingénieurs d'ici envoyés en divers pays dont la France, les États-Unis et l'Allemagne, visiter des complexes olympiques, et à la suite de visites que je fais personnellement, notre choix se porte sur un architecte parisien, Monsieur Roger Taillibert. Nous lui confions la mission de concevoir les plans d'un Stade olympique, l'envisageant à partir de notre idée directrice et non point d'un point de vue simplement utilitaire.

Monsieur Taillibert a dû bien nous comprendre, car nous avons un Stade olympique conforme à nos vœux, et qui suscite l'admiration aussi bien de l'homme de la rue que de l'élite des experts; pour n'en citer qu'un, voici ce qu'a écrit un esthéticien, historien d'art, Monsieur René Huyghes, de l'Académie française: "Exemplaire est l'œuvre de Roger Taillibert qui, depuis 1961, a multiplié des monuments majeurs où s'affirme l'existence véritable d'un style architectural né au XX^c siècle, et en a développé toutes les possibilités, mais il a compris aussi que l'humanité passant de l'âge de l'individu ou des groupes restreints à celui des masses collectives, réclamait que soient poussées jusqu'à la performance toutes les capacités d'ampleur des techniques nouvelles (…)"»

…Malgré cet éloge, périodiquement, comme s'ils faisaient partie d'une campagne de désinformation bien planifiée, on publie des articles dans les journaux, on entend des petites phrases à la télévision qui, ouvertement ou par allusions, imputent à la technologie française, à l'architecte de Paris, toutes les difficultés que rencontre la Régie olympique du Québec (cet organisme gouvernemental a hérité, en 1975, de la responsabilité de mener à terme les travaux du stade), encore en 1985.

Ce n'est pas nouveau. En effet, il en a toujours été ainsi, et dès le début des travaux de construction et au fur et à mesure de leur avancement. À qui s'en étonne, j'explique brièvement les causes de ces reproches sans cesse répétés. En bref, le Québec constitue un petit peuple influencé par la publicité, la propagande insidieuse d'une énorme puissance toute proche qui tient en partie dans ses mains le destin de ses chétifs voisins, entre autres. Ses relations avec elle vont de soi si naturellement qu'il finit par réagir en continental nord-américain contre l'introduction d'idées, de techniques, l'intrusion de techniciens étrangers à ce continent. Parfois contre son propre intérêt. On serait tenté de croire, en effet, qu'en toute logique le Québec serait porté à accueillir favorablement tout ce qui est susceptible de renforcer sa résistance à l'assimilation, la francité à laquelle il prétend être attaché; la science, la technique, la culture, la civilisation françaises.

C'est mal connaître la complexité de l'*homo quebecensis*. Comme tous les minoritaires conscients de leur fragilité, il est en proie à des poussées de xénophobie qui n'épargnent pas les Français. Ailleurs, on ne se prive pas d'attiser le ressentiment qu'il nourrit depuis plus de deux siècles à l'égard de sa mère patrie.

Aussi, chaque fois qu'une occasion se présentera, quiconque peut occuper une tribune mêlera sa voix au chœur des critiques étrangers à sa communauté, qui ont pour but de décrier, de dénigrer tout ce qui est français, hommes et choses. Passe encore quand les critiques sont justifiées: nul pays n'est à l'abri. Ici, de surcroît, quand il s'agit du Stade olympique, les préjugés explosent, les vitupérations se multiplient, la mauvaise foi ne connaît pas de limites: *delenda est imago*.

Au crime de lèse-majesté — introduire un architecte parisien sur un terrain interdit — s'ajoutent les frustrations ressenties par ses confrères d'ici, privés d'un manque à gagner substantiel. Phénomène classique, ils vont présenter de l'intrus une image repoussoir et occulter les aspects positifs de sa technologie. Ils ne cherchent pas à savoir si seulement ils approchent de son niveau.

Mais ce dont ils sont sûrs — la passion aveugle et simplifie — c'est que tous les retards et contretemps dus à des grèves ou à nos températures extrêmes, tous les dépassements de crédit provoqués par l'inflation et l'habileté de fournisseurs excessivement intéressés, tous les abus et ratages dus à des défauts, des erreurs, des incompétences, des us et coutumes locaux, tout est mis au compte de l'architecte parisien.

Lettre trente-six

On ira jusqu'à nier l'opportunité de mettre en pratique une technique bien française, mais utilisée dans le monde entier, celle du béton précontraint due à l'ingénieur Freyssinet. Bien loin de nous limiter aux cubes de ciment ou de fer, elle permet de construire des ouvrages spectaculaires, élégants; il y en a dans cent pays. Et le Stade olympique de Montréal, sans Freyssinet et Taillibert, ne susciterait pas tant d'admiration.

Victime injuste de critiques dénigreurs, envieux ou frustrés, notre stade n'en attire pas moins, depuis des années, des dizaines de milliers de visiteurs admiratifs.

N'est-ce pas le propre de l'œuvre d'art véritable de rallier les suffrages des initiés, des experts et des gens ordinaires? Tant de preuves l'attestent qu'on espérait qu'un jour les aveugles verraient et mettraient fin à leurs attaques contre la technique française et l'architecte parisien. Il faut bien se rendre à l'évidence que la haine, la mauvaise foi, ne lâchent pas leurs victimes dont la renommée bien établie fait ombrage et risque à nouveau de créer des obstacles. Or la technique française, bien servie par d'excellents techniciens, est un concurrent sérieux, réel ici, virtuel en d'autres pays.

On n'est pas peu surpris de voir le gouvernement québécois faire chorus avec les dénigreurs patentés du Québec et de son gouvernement pour attaquer à son tour l'architecte français. Certains membres de ce gouvernement ironisent à l'envi sur l'audace de conception de M. Taillibert, préférant eux-mêmes la forme "boîtes à chaussures", le format économique. Admirons le contraste et la tendance de certains à dénigrer tout ce qui dépasse leur horizon ou leur compréhension. Plus encore, c'est à leur aune qu'ils évaluent les honoraires de l'architecte: des années de labeur, de la conception à la réalisation d'un ouvrage colossal, vont être suivies d'années d'attente dues au retard dans le paiement de ces honoraires; tout sera mis en œuvre pour le faire traîner en longueur.

Le gouvernement va, en effet, ordonner une enquête publique, en vue de découvrir les responsables du coût prohibitif du Stade olympique. Cette enquête dura trois ans. Ce fut, en fait, à voir la place accordée à l'exposé de témoignages boiteux et incomplets, une publicité tapageuse qui eut pour résultat de déprécier, de condamner face au peuple la technique française, «cause première», «explication unique» des difficultés techniques rencontrées, des retards dans la construction, du dépassement des devis établis les années précédentes, des risques à venir de voir s'écrouler le Stade olympique, vu sa «dangereuse» instabilité. Neuf ans se sont écoulés, ni le Stade ni le Vélodrome ne se sont écroulés. Le rapport produit par la commission d'enquête ne mentionne aucune malfaçon, aucun défaut de construction. S'ensuit-il que le gouvernement va payer enfin les honoraires dus à l'architecte français, neuf ans après? Non.

Il n'a pas épuisé tous les prétextes à temporiser, à justifier son refus de payer l'architecte. Celui-ci intente-t-il des poursuites en vue de l'y contraindre? Le gouvernement réplique par une action reconventionnelle pour cause de malfaçon. Prétention sans fondement. Aussi le tribunal a-t-il maintenu, il y a deux ans, l'action de l'architecte et rejeté celle du gouvernement. Ironie du sort ou malédiction? L'architecte français n'a toujours pas été payé deux ans après le débouté.

Vous ne serez pas surpris que, la politique entrant en jeu, le maire de Montréal, maître de l'ouvrage, se soit vu reprocher le dépassement des crédits, son refus de faire apporter d'importantes modifications au projet initial, comme de n'avoir pas prévu le nombre de jours de grève, de retard de livraisons de fournisseurs, les taux d'inflation et d'augmentation conjoncturelle des matières premières, les degrés de température et d'avidité des vautours de tout bord, sans nombre et sans vergogne. Il faut bien que nos adversaires prennent leurs armes où elles traînent, parfois dans la fange; il en reste toujours un peu, qui dégouline.

Pardonnez-moi cette digression *pro domo*; ma lettre est inspirée d'abord par la volonté de mettre fin à l'injustice révoltante dont est victime un architecte français choisi par le Comité exécutif de la Ville de Montréal. Le discrédit qui l'a atteint, par

Lettre trente-six

ricochet atteint la France et tous ceux qui, partout dans le monde, se font les promoteurs de la technique française.

À bientôt, cher et très unique ami.

Je viens de rencontrer Philippe Seguin qui me dit ne pas comprendre pourquoi la France n'a pas créé un Musée du sport à la mémoire de Pierre de Coubertin. C'était votre idée à Montréal depuis 1975.

Nous l'avions prévu dans le Stade. Nous nous étions rendus un matin sur le site, pour vérifier l'arrivée d'une structure métallique. Tridimensionnelle, elle devait en s'intégrant dans le Stade, libérer une surface de quarante mille pieds carrés dévolue au musée dans le million de mètres carrés du stade. Pour réduire le délai de livraison, vos services l'avaient commandée à Toronto et le délai fut respecté.

Mais lorsque j'étais retourné au Parc olympique quelques jours après la prise de possession, elle avait totalement disparu; voilà pourquoi la jeunesse de Montréal n'a jamais eu de Musée du sport.

Coulage des matériaux, coulage des idées; la trahison avait des réserves.

Lettre trente-huit

Je viens d'avoir un appel téléphonique de M. Phaneuf. Depuis quelques jours, j'ai de longs entretiens avec votre jeune collaborateur ingénieur qui a toujours suivi nos instructions. Il s'est dépensé, comme Raymond Cyr, mais il existe une différence: les heures supplémentaires de travail effectuées pour obtenir un résultat dans ce dossier ne lui ont jamais été réglées. Je considère cette situation comme d'autant plus déplorable que tous les fautifs officiels se sont sauvés sans être inquiétés.

Avant votre grand départ, vous m'aviez lu une proposition écrite, gratifiant ce collaborateur de l'aide qu'il apporta à la réalisation des Jeux en tant qu'ingénieur.

La question avait été confiée à Pierre Bibeau, président de la Régie olympique avant M.Tétrault, et nous avions ensemble trouvé une solution équitable. Malheureusement, Pierre Bibeau quitta l'estrade de la R.I.O. et le résultat de nos entretiens passa aux oubliettes.

La vie, pour suivre les mouvements d'humeur des hommes, n'est pas toujours juste. Claude Phaneuf a donc engagé une procédure, je crois sur la recommandation que vous lui en fîtes avant votre départ, en homme de robe choqué des procédés employés à son encontre. Où se situe la justice? On accuse des humbles et on va jusqu'à inventer quelquefois des lois pour punir l'insolent qui ne s'est pas converti aux méthodes des officines du pouvoir.

Hier, François Godbout, juge que vous estimiez, m'a téléphoné à Rabat afin que nous trouvions une solution ensemble. Je le ferai volontiers et lui ai confirmé que je connais une partie importante du parcours de Monsieur Phaneuf.

J'espère que les anges ne vont pas faire grève.

Cher ami,

C'est avec vous que j'avais rencontré l'ami Jean-Paul Riopelle, artiste de qualité exceptionnelle parmi ses pairs canadiens et contemporains.

Dans la maison de Verneuil, vous l'aviez encouragé à poursuivre sa création; sa maladie n'était que passagère.

J'aime cet artiste brillant. Je ne suis heureusement pas le seul: ses œuvres se trouvent aux États-Unis, en France, au Japon... dans le monde entier, en fait. Je me souviens fort bien de ce jour où vous aviez imposé à Claude Rouleau que les fontaines de Riopelle soient retenues pour le Parc olympique, choix que j'avais vigoureusement soutenu. L'accord fut signé sur la nappe d'une table du restaurant Hélène de Champlain, car la confiance ne régnait pas entre vous et Claude Rouleau.

Depuis, votre mandataire coordonnateur, Bernard Lamarre, ami de Claude Rouleau, insatisfait de son rôle de meneur de jeu dans la construction, est devenu, on le sait, mécène et collectionneur. Quel soudain intérêt pour l'art? Eh bien, c'est la mercatique qui produit des miracles à notre époque; les artistes d'antan portraituraient; c'est le mécénat aujourd'hui qui flatte une image qui n'est que de marque.

Je pense ce soir à une assez bonne histoire à vous raconter. J'étais dans le salon de l'Académie française; levant la tête, je vis une magnifique plaque de marbre portant certains noms de médaillés de ladite académie. Le premier de la liste était Monsieur Brian Mulroney, suivi de Monsieur Paul Desmarais, et le troisième, je vous le donne en mille! Monsieur Bernard Lamarre. Pendant toute la séance sous la Coupole, j'écoutais le discours de Monsieur Paul Messmer, héros de la dernière guerre, mais continuais à penser à ce

Lettre trente-neuf

brillant mécène *ex machina*. Quelle différence de pensée entre l'académicien et cet homme qui confond, si habilement, art et communication institutionnelle...

La véritable «farce» — à tableaux, comme au Moyen Âge — que constitua la problématique réalisation de la toiture, farce entre toutes les farces dont mon collaborateur, Monsieur Billotey, a fait avec précision et humour le long descriptif, tint son origine de la commission d'Hydro-Québec, ce dont je veux vous entretenir. Celle-ci atteignit le retentissement international qu'elle visait: l'enquête démarra en grande pompe, devant une foule compacte à laquelle furent présentées les conclusions d'une analyse fondée sur des calculs faits à l'ordinateur. On y estimait les contraintes beaucoup trop élevées dans le bas de la façade sud du mât et dans la partie voisine de la coupole inférieure.

Ayant obtenu qu'on nous donnât copie des données traitées en informatique, nous pûmes vérifier ce que le premier regard sur la belle jaquette du dossier nous avait déjà appris, car la plus grosse des erreurs de modélisation était visible à l'œil nu sur la sortie en perspective qui l'ornait.

Avec la société Europe Études, nous avons démontré tout cela à Hydro-Québec en présence de la R.I.O. Comme par hasard, l'entreprise Lavalin, qui comptait un de ses membres parmi les experts de la commission, n'en a jamais rien su ou voulu savoir, non plus que l'auteur des calculs aberrants qui siège maintenant au Comité aviseur de la R.I.O. Cette dernière nous a tenu les propos suivants: «Ça n'a pas d'importance; nous trouverons autre chose.»

En effet, ils inventèrent d'autres farces.

La Direction de la construction de la Régie voulut construire un pilier au milieu des néoprènes. Mon

Lettre quarante

intervention débouta *in extremis* cette folie qui aurait défiguré le bâtiment en le fragilisant. Lavalin confortera néanmoins la base sans prouver qu'elle en avait besoin; ses budgets s'augmentèrent ainsi d'une peccadille de dix millions de dollars non prévus.

À bientôt.

El Jadida.

Cher ami,

Je suis toujours au Maroc. Je comprends à présent l'attachement du maréchal Lyautey pour ce pays: une nature exceptionnelle, surtout le long de la côte Atlantique, dont l'urbanisme est appelé à se développer; un riche patrimoine laissé par les Portugais et que les siècles ont porté jusqu'à nous.

Je regarde cette page d'histoire unique. Les hommes ont fondé de très grandes familles dans ce pays, mais la frénésie du monde moderne a laissé celles-ci sur les chemins du passé, et la population peine à trouver un équilibre et un mode de vie supportables. Tout est difficile et inadéquat, mais le potentiel est immense.

Je sais combien vous auriez rêvé de développer un tel site en lui donnant toutes ses chances de développement et d'accomplissement en le modernisant. Déjà un champ de courses, puis un golf, ont été équipés. Lyautey ne disait-il pas que ce pourrait être le Deauville du Maroc?

La population des environs avoisine le million d'habitants, mais rien n'y semble possible sans l'appui de politiques courageux. Encore faudrait-il en rencontrer. Existent-ils?

Je me pose la question. J'ai connu beaucoup de maires à la tête de villes plus ou moins importantes, mais rarement rencontré de maire décideur comme vous le fûtes. Les risques de cette position sont nombreux, exploitables à merci par les adversaires, occasion que ne laissèrent pas s'enfuir les vôtres. C'est que les étranges sentiments qui habitent l'homme,

Lettre quarante et un

comme la jalousie et la haine, sont la source fréquente des combats qu'un homme public ne doit pas craindre, mais mener avec une intelligence hors du commun. Ne nous laissons donc pas aller à l'accablement et à la tristesse.

C'est un fait: ces Jeux Olympiques montréalais de 1976 auront gêné beaucoup de gens. Vos réalisations, la création d'une cité à l'image mondiale: cela ressemblait à une bombe que vos «amis» voulaient à tout prix désamorcer, simplement parce que cela venait de vous et non d'eux. Ils ont cherché pendant longtemps les moyens de le faire, tout en restant aussi masqués que des danseurs du Carnaval de Venise. Quel courage eurent ces provocateurs! À l'échelle de leurs vanités, à défaut de véritable ambition. À bientôt.

Montréal.

Je me souviens d'un appel téléphonique de votre part, voici quelques années, lors d'un de mes séjours à Montréal, appel bien matinal pour un retraité... Mais j'oubliais que vous avez toujours été un retraité «au travail», tant le travail faisait partie de votre vie.

Je vous avais, ce jour-là, entretenu de la visite que m'avait faite, la veille au soir, une ex-députée de votre circonscription et ministre: Rita Dionne-Marsolais. Je l'avais reçue avec plaisir et avais discuté avec elle de l'historique du Stade dont le dossier lui avait échu. Je vous avais ensuite demandé si vous accepteriez de la recevoir, car j'aurais aimé connaître votre réaction. De mon côté, je l'avais assurée que je ferais mon possible pour l'aider. Je ne voulais cependant pas la mettre en difficulté auprès de ses pairs. Je pensais que tous ces politiques n'étaient pas vraiment vos amis et vous redoutaient malgré votre silence; je savais aussi que la jeunesse de l'est de Montréal vous tenait à cœur et que vous ne vouliez pas l'abandonner. Je vous avais donc promis d'agir auprès de cette femme politique.

Lettre quarante-trois

Montréal - Fêtes de fin d'année.

Je suis à Montréal. Le contact avec Rita Dionne-Marsolais est établi et je la rencontre dans un restaurant, accompagnée d'une autre femme, son chef de cabinet. J'expose le plus rationnellement possible les méandres du roman noir du Stade, sujet qui les intéresse. Madame la ministre écoute et pose des questions pertinentes.

En regagnant Saint-Sauveur, je ne voulais pas tomber dans la mélancolie ni dans une joie excessive. Il n'y a rien de si affligeant que de découvrir que l'être humain est toujours en train de tricher. Il y a toujours, sous une forme ou une autre, des consolations.

Il y a toujours aussi des moyens de sortir des impasses, comme celle qui avait déjà coûté douze millions de dollars d'études, je veux parler du projet de couverture du stade en acier. Je pensais avoir trouvé les remèdes mais, dans ce pays, tout devient très vite inutile. Il y règne souvent un climat de fatalité peu logique; vous l'avez connu vous aussi. Allions-nous faire éclater la vérité grâce à une femme, à sa volonté et à la qualité de ses analyses? Je me méfiais de mon enthousiasme trop facile et m'encourageais à penser que l'homme n'est pas un être raisonnable doté de sensibilité.

Ce sera finalement un règlement de comptes que couvrira Madame la ministre, avec sérénité, en désignant une commission dont je doutais qu'elle fût plus compétente que les autres.

Une petite voix me soufflait: «Mais tu n'es qu'un "maudit Français", ne l'oublie pas.»

Ah! Ah! Monsieur est un «maudit Français», c'est une chose bien extraordinaire. Comment peut-on voir encore ce maudit Français ici?

Je ne reverrai sans doute plus jamais cette brillante interlocutrice, mais tant pis.

Lettre quarante-quatre

Venise.

Vous n'échapperez pas à mes souvenirs aussi facilement... Ce jour-là, à Venise, je reçus votre télégramme. Le rapport Kenneth C. Johns venait d'être publié et ouvrait la voie à la vérité.

Au cours d'une conversation téléphonique, Monsieur Kenneth C. Johns m'avait dit: «Trop de menteurs dans ce dossier, mais notre commission a poursuivi des études sérieuses; il faudrait engager des études sur plus d'une année, et exiger des crédits supplémentaires — c'est l'enterrement.»

Après la lecture de ce rapport, ma réponse fut cinglante, mais semblable à celle déjà donnée à maintes reprises. Il n'existait pas de solution pour une toiture en acier. Un siècle d'études ne règlera pas le problème, donc calculez, calculez toujours. La seule solution est celle de Lavalin, une toiture avec les bases Taillibert, celles qui furent escamotées pour des raisons commerciales.

Ici à Venise, il y a eu des problèmes de fondations. Je m'étonne que ce site merveilleux ait pu ainsi traverser les siècles. Tout est magique. La qualité et la beauté de ses témoignages architecturaux, du Palais des Doges à la Place Saint-Marc, en passant par les somptueux palais, sont inégalables. Mais les constructeurs de ces merveilles n'exploraient pas l'avenir avec des solutions superficielles et des études inutiles, car les comtes Sforza étaient des pingres.

Paris.

En 1979, le président de la République, Valéry Giscard d'Estaing, m'avait convoqué à un conseil restreint. Cette réunion eut lieu après une visite du site de La Villette, au cours de laquelle j'avais exposé ce qui pourrait être fait sur ce terrain de cinquante-deux hectares. Un article parut dans *Le Monde* après l'ouverture du Centre Pompidou, qui relevait que si les arts y étaient très bien exposés, la technologie y était oubliée.

Après avoir visité les musées des sciences, aussi bien à Londres, Munich et Tokyo, qu'à Chicago et Washington, je conçus un projet pour le futur musée français qui aurait permis de fermer le Palais de la Découverte installé au Grand Palais, trop vétuste. Cet élan quasi sportif fut vite barré, d'abord par les fonctionnaires, puis par les enfouisseurs de la vérité de Montréal, parmi lesquels Monsieur Léger, un ministre homologue de notre ministre de l'Équipement.

Pour en revenir au projet de Musée des sciences de La Villette, après cette réunion du conseil restreint à l'Élysée, ledit conseil prit des décisions permettant de limiter le programme technique, de fixer le montant d'investissement et la définition de ma mission. Compte tenu du fait que les bâtiments existaient et qu'il fallait des aménagements, un montant de travaux de un milliard deux cent mille francs fut proposé, et ramené à huit cent cinquante millions par le Président de la République lui-même.

Le régime changea; un architecte fut nommé, suite à un concours rendu caduc puisque que la majorité des membres du jury n'avait retenu aucun projet. Le fait du prince présida

Lettre quarante-cinq

au choix d'un lauréat, et les dépenses atteignirent plusieurs milliards de francs.

J'avais refusé de participer au concours; je jugeais ce traitement irrévérencieux et inacceptable: je n'allais pas concourir sur un projet dont j'avais eu l'idée et fixé le programme. On m'obligea à faire partie du jury. L'omerta politique faisait paradoxalement circuler beaucoup de bruits, des murmures: j'étais le seul et unique auteur du gaspillage de Montréal. Pensez donc, payeurs de taxes!... Le chiffre de réalisation a multiplié par trois celui du projet: trois milliards de dollars, actuellement, et sans moi!

Quant au Musée des sciences et techniques, il atteindra cinq fois le prix de base. J'ai eu raison de me tenir à l'écart de ce projet déjà empoisonné au départ.

Malgré cela, nous gagnâmes des concours internationaux qui nous libérèrent de l'emprise intello-franchouillarde.

Je n'ai pas participé au Palais de Bercy, dit «la tombe verte»; d'après un rapport établi par la Cour des Comptes, l'investissement initialement prévu de deux cents millions de francs, atteindra un milliard deux cent mille francs, six fois plus — pour douze mille places.

Nous aussi, les Français, nous avons, et sans Taillibert, des baignoires à bonde ouverte. Un autre stade de vingt-cinq mille places, prévu pour la somme de deux cents millions atteindra cinq fois le montant initial.

L'exemple du Grand Stade de France, auquel j'ai refusé de participer, atteint un montant final tenu secret, mais on parle couramment de trois, quatre et six milliards de francs.

Toutes ces découvertes sont agréables à analyser, surtout quand je n'ai laissé mon nom sur aucun de ces ouvrages! Malheureusement je suis, moi aussi, un payeur de taxes.

Financièrement, il existe une différence entre la France et le Québec. Chez vous la dette éternelle ressemble à une fontaine cascadante et bruyante, alors que chez nous, les différences sont englouties immédiatement dans un silence total.

Il est assez réjouissant d'observer les conduites des gouvernements. Je vous avais bien dit que l'on allait rire, avec le temps. À bientôt.

Lettre quarante-six

Je reviens sur les erreurs qui ont été portées directement à votre actif. Votre pays a l'art de distraire l'attention du payeur de taxes sérieux, des bons sujets, de ceux qui n'ont jamais augmenté leur train de vie, et vous étiez de ceux-là. Votre philosophie avait la force de la clarté dans l'obscurité savamment orchestrée; au milieu de la tempête, vous n'erriez pas au gré de ces vents qui dirigent la politique. Votre instinct découvrait les hommes, dès qu'ils avaient franchi votre porte. Cette porte, vous la laissiez ouverte à tous, malgré votre rôle de «bouc émissaire». C'est là que je vous adresserai reproche, et par amitié: vous auriez dû dire la vérité.

Aviez-vous pensé que les gens qui savent distinguer les choses pures des choses impures sont peu nombreux? Où vous êtes à présent, la balance est juste, et vous n'avez plus de loi qu'écrite de la main des anges.

Vous le savez, ici la boue salit et recouvre beaucoup; ceux de vos concitoyens qui vous connaissaient savaient que la boue répandue sur la planète par vos «amis» politiques ne parviendrait jamais à vous salir. Elle avait malgré tout rejailli sur nous, car nous n'avions pas les moyens médiatiques de répondre à une réelle et solide organisation. Les «petits juges» que nous avons en Europe n'avaient pas encore essaimé — quel malheur! Je pense que vous en seriez d'accord — car la vérité serait alors apparue au grand jour.

Ce matin, je me trouvais à l'aéroport de Rabat, dans le salon d'attente. Je prenais un café quand une jeune femme, de trente ans environ, entama la conversation: Québécoise, d'origine française. J'hésitais à me faire reconnaître, étant prudent comme tous les grands voyageurs. J'avais mes raisons; je m'aperçus, au cours de notre entretien, que cette personne réservée ne me disait pas toute la vérité sur sa ville et les Jeux.

Puis, mon tempérament m'incita à parler du Stade parce que, malgré les précisions que je donnais sur les hommes politiques, elle ne réalisait pas tout de suite ma connaissance de Montréal. Je dis mon nom et elle accepta de m'écouter. Je lui parlai des calomnies qui avaient circulé à propos du projet des olympiades 1976. Je constatai immédiatement qu'elle ne connaissait pas l'histoire. Après quelques mots, je dévoilai non seulement ma position mais les techniques financières utilisées. Cette rencontre m'avait confirmé que le public québécois, même d'un niveau honorable, n'est pas informé.

Cher ami, vous auriez dû parler avant de nous quitter.

Lettre quarante-sept

Le Jour de Pâques.

Mon Cher Drapeau,

Nous sommes auprès de vous par la pensée: la fête sera courte car votre absence nous pèse...Vous ne viendrez pas déjeuner avec nous trois au restaurant de la Tour Eiffel et ma fille Sophie, qui vous adorait, pense très fort à vous.

Aujourd'hui, nous avons un problème à traiter. Depuis des années, vous me parliez du problème important de l'aéroport de Mirabel. L'abandon du projet était probablement dû à la puissance américaine, pensiez-vous. Cette situation vous énervait et vous me le disiez.

Quand nous avions étudié avec Sofrerail le projet d'un train rapide reliant Montréal à New York en trois heures, avec arrêt à Dorval, l'autre à Albany, la ligne s'avérait rentable dans les prévisions faites.

La situation d'abandon de Mirabel faisait votre désespoir. Vous ne compreniez pas qu'un investissement de plusieurs milliards n'aboutisse à rien. Vous aviez et avez toujours raison, car, même de l'au-delà, vous portez sûrement le même jugement, et vos ex-amis ne veulent pas l'entendre. Grandir Montréal, c'était réduire le Canada. Vous n'aviez pas compris que le Canadien français est une race peu compatible avec un grand Canada.

Voilà la vérité.

Vos ennemis vont devenir les miens, mais tant pis.

Amitiés.

La Cité interdite - La Grande Muraille de Chine.

Cher ami,

Je pensais être accablé, impressionné, par le silence de la Grande Muraille, ce mur de plusieurs kilomètres de long; ce que j'y découvris me fit l'effet d'une tempête.

L'histoire contée par la traductrice me paraît ahurissante et rejoint les grands récits d'horreur. Saviez-vous que des milliers de Chinois ont été enterrés sous la muraille? Vos syndicats n'ont quand même pas agi de cette façon — quelques morts accidentelles, beaucoup de vols, de destruction, l'enfouissement de la vérité mais pas celui de corps humains par dizaines dans les fondations. Vos ennemis ne sont pas allés jusque-là.

Ce ne furent ni votre liberté, ni votre vertu qui furent mises en cause; c'était la «mégalomanie» et «l'inédit», deux substantifs que nos rois et empereurs n'ont jamais entendus, car le patrimoine de leur nation passait avant tout et la splendeur ne semblait pas aussi répudiable qu'aujourd'hui. Auriez-vous pensé le contraire? Je suis sûr que non...

Amicalement.

Lettre quarante-neuf

Cher ami,

Je viens de retrouver un texte de vous, daté de janvier 1977 et qui a pour titre *Au stade de l'humanisme*.

C'est un texte si exhaustif de votre démarche, de vos pensées, de votre façon de vous exprimer que je le relis avec beaucoup d'émotion.

«Depuis la XXIe olympiade, disiez-vous, il est, dans la ville de Montréal, non loin du centre, un immense complexe olympique d'une grande beauté, "l'un des plus beaux stades du monde sinon le plus beau, conçu par l'architecte français Roger Taillibert. C'est une merveille d'équilibre", a écrit Daniel Costelle dans *L'histoire des Jeux Olympiques*.»

Cela m'a fait plaisir car je l'aime, «mon» Stade, comme on aime naïvement ce que l'on a créé avec intensité, passion, ferveur. Je l'ai rêvé pour le faire et je l'ai rêvé sublime, et bien sûr, je souhaite, comme tout créateur, qu'on le voit aussi sublime que je l'ai voulu. Mais c'est au temps et aux autres de le dire. Je l'ai voulu ainsi que vous disiez le voir:

«Immense et beau pour recevoir quelque dix mille athlètes et des dizaines de milliers de spectateurs d'un superbe spectacle et, par-delà les besoins immédiats des Jeux de 1976, pour répondre à ceux de notre population et des générations futures, à la réalité de demain, du triple point de vue récréatif, culturel et social.

(…) Il était donc essentiel qu'il fût beau, notre stade, d'une beauté originale, de forme contemporaine, dépassant toute conception utilitariste, et qu'il ne vînt pas ajouter à la monotonie qu'engendre à la longue la juxtaposition des cubes et des parallélépipèdes qui ont poussé comme champignons depuis un siècle en Amérique du Nord. Essentiel, car l'architecture, avons-nous appris, "l'architecture est à la fois la physionomie des nations et l'image la plus durable d'un siècle." Comme les architectes du Parthénon, Monsieur Taillibert a fait une œuvre originale et magnifique. Hommage rendu au génie créateur, des architectes, des ingénieurs, visitent notre stade — des touristes aussi, comme ceux qui accompagnent les supporters des équipes de cinquante-six villes du Canada et des États-Unis venant y disputer des matchs de base-ball, et qui sont à la recherche de curiosités nouvelles remarquables.

Œuvre de l'audace et de l'ingéniosité technique, symbole de la victoire des hommes sur une nature hostile, notre stade est un hymne à la beauté, un chant de l'art renaissant, pour les jeunes une leçon d'énergie, d'optimisme, une œuvre, héritage d'Olympie, à la mesure de l'homme et de la vie collective de demain, une introduction à l'humanisme.»

Je sais que c'est mon ami qui parlait ainsi, justement parce qu'il était mon ami. Les faux-modestes n'oseraient pas, peut-être, lire et relire quelque louange à leur endroit aussi extrême et lyrique que la vôtre. Pour avoir lu des critiques aussi dithyrambiques sur mon travail que l'était votre adhésion, je me rafraîchis à votre passion empathique qui exprime aussi un grand idéal. L'amitié ne naît jamais entre deux personnes qui se méprisent, n'est-ce pas, et nous nous admirions et estimions mutuellement. Ce sont sans doute ces sentiments et ces partages culturels et intellectuels qui ont rendu notre tandem aussi résistant dans les bains d'acide que nous traversions. La solidarité est une sorte de complicité solidifiée, comme une roche volcanique. Nous campions au bord d'un cratère; nous en sommes sortis plus

Lettre quarante-neuf

forts et sûrs de nos actes et de nos volontés, dans le droit fil de l'olympisme, en somme.

«La population de l'agglomération montréalaise représente presque la moitié de celle du Québec, et l'on en perçoit aujourd'hui des signes de croissance.

Dans une civilisation de masse, qu'on le déplore n'y change rien, la vie collective envahira davantage la vie individuelle. C'est la réalité de demain perçue à la lumière de celle d'aujourd'hui. Le progrès scientifique et technique, la substitution des machines, des robots, à l'homme, va étendre le temps des loisirs. Nous souhaitons qu'ils se passent au grand air, dans un cadre séduisant. Les loisirs de groupe, les sports d'équipe, ont de plus en plus la faveur populaire, en complément des sports individuels et des exercices en salle.

Depuis quelques années — c'est une conséquence immédiate des Jeux —, l'on voit se multiplier les équipes, les clubs sportifs. Chaque hiver, chaque été, nous assistons au déroulement des Jeux du Québec. On ne joue plus seulement au hockey, sport national des Canadiens, et au base-ball. Toutes les disciplines olympiques ont leurs adeptes, et il est heureux que l'athlétisme attire enfin des milliers de jeunes de tous les milieux. Grâce à nos équipements de 1976, notre stade devient un centre de divertissement et de culture désintéressée du corps. Ouvert à tous, sous le signe de la gratuité, pour faire pièce au sport perverti par les excès de mercantilisme et l'idolâtrie du vedettariat.

Nous avons voulu aussi que notre complexe olympique soit conçu comme un ensemble fonctionnel pour servir de pôle de vie collective et lieu de manifestations culturelles et de célébrations spirituelles.

Des concerts ont été organisés dans l'enceinte de notre stade, tel celui que dirigea Michel Legrand, *L'étonnante odyssée*, devant cinquante-six mille spectateurs. Qui peut dire qu'on ne chantera pas un jour «l'Hymne à la joie» en final dans son cadre grandiose?

130

De même il a attiré, à l'égal des lieux de pèlerinage célèbres, des foules de fidèles pour des cérémonies religieuses, des rassemblements de «charismatiques». La voilà bien la cathédrale moderne, semblable non point aux nefs traditionnelles, comme celle de Saint Pie-X à Lourdes, mais plutôt à une immense et fantastique soucoupe volante ancrée, telle un vaisseau, dans l'attente de s'évaporer dans l'espace. Des foires expositions, des salons d'artisanat, entre autres, s'y déroulent chaque année, points de rencontre de foules nombreuses de plusieurs régions du Canada. Ainsi ce stade... sert à la culture du corps, à l'élévation des esprits, à la promotion des arts.»

Ce sont les fortes personnalités, comme l'était la vôtre sous votre apparence tranquille de notaire de province, qui provoquent des faits forts. Les faits forts et têtus engendrent de nouveaux discours.

Je ris de la force du temps en lisant une brochure de communication de la R.I.O. datée de 1993. On y parle de «L'âme française de Montréal»; on y vante le fait qu'elle a été deux fois en dix ans l'hôtesse du monde entier. On s'extasie et on fait de la surenchère commerciale: «(...) une silhouette fascinante se profile dans le ciel montréalais à des kilomètres à la ronde (...) un Parc olympique coté deux fois trois étoiles(...) Le Stade, une architecture unique au monde(...) la Tour olympique, la plus haute tour inclinée au monde(...) on a dit et écrit beaucoup sur le Parc olympique(...) Si vous avez d'abondance entendu parler du coût élevé des installations, sachez qu'en dollars aujourd'hui, le Stade de Montréal et sa Tour ont coûté le même prix au mètre carré utilisable que le Sky Dôme de Toronto qui offre trois fois moins de plancher que le complexe Stade-Tour de Montréal. Et le tiers de ces planchers est encore inutilisé! Si vous avez entendu critiquer

Lettre quarante-neuf

son architecture audacieuse, pensez que ce prototype est le plus beau stade au monde de l'avis des experts (…)»

Cher Drapeau, la mégalomanie est contagieuse. Montréal devient de plus en plus la ville Drapeau sans Drapeau. La leçon passe… ils connaîtront bientôt tout le texte.

À bientôt.

Mon cher Drapeau,

Au cours de nos entretiens, nous nous sommes beaucoup parlé de la joie de bâtir; elle n'est pas toujours celle que l'on attend; elle vient parfois du défi à relever, de savoir qu'on produit pour un avenir que les sociétés futures utiliseront. Certains, dont un juge, ont pensé que Roger Taillibert était un «étranger» aux prouesses inutiles et aux joies sans lendemain. Être architecte, ce n'est pas un métier d'homme de robe. Si celui-ci analyse le passé sans vouloir reconnaître la personnalité d'un créateur, nous avons eu un bien mauvais juge. Que serait-il, ce passé, sans aucune trace du patrimoine, de son histoire parmi les hommes à une époque donnée?

Les messages sont toujours les mêmes, de la terre à la brique, à la pierre, au ciment, au fer; nous devons transmettre les nôtres à travers de nouveaux moyens, comme l'exigent les mécanismes économiques. Nous devons travailler une pâte, la ciseler sans le ciseau du tailleur de pierre. Les formes que nous exécutons, issues de calculs dits numériques, nous font pénétrer au cœur des matières élaborées aux confins de l'impossible.

Chaque réalisation provoque un classement dans le temps et son œuvre inscrit l'homme dans l'acte de l'effort, pour l'éternité promise par la création.

Tout œuvre est démonstration de l'homme dans son être spirituel autant que corporel, charnel même. Vous me teniez les propos riches d'un homme sensible à l'architecture.

L'effort a toujours projeté l'homme créateur dans l'avenir, pour qu'il soit jugé à son mérite par les générations

Lettre cinquante

suivantes. La paresse intellectuelle d'aujourd'hui et, je le crains, de demain, en reproduisant des œuvres de répétition, nées d'une pratique du moindre effort, nous condamne à l'oubli.

Vous me disiez de la beauté qu'elle est une création, une naissance qui affleure l'éternité. Ce langage universel qui ne vous a pas échappé permet de classer les œuvres dans le patrimoine collectif mondial.

Vous m'aviez écrit, j'en suis encore confus et bouleversé, que j'avais créé à Montréal un ensemble que l'architecture universelle attendait. Ce sont certes les propos que tout créateur aime entendre, avec la crainte qu'ils ne fussent vrais. Vos amis les Anglais, au Congrès international des ingénieurs à Londres, puis à Hambourg, ont rejoint votre point de vue si flatteur et enthousiaste en expliquant à une réunion d'ingénieurs du monde entier, que ce serait probablement le dernier grand édifice de la fin du siècle.

Aurez-vous, auront-ils raison?

Je ne fais jamais deux fois la même chose. Je me refuse à répéter. Toute ma vie est construite sur un enchaînement continu. Je cherche le mouvement, le dynamisme; en somme, comme vous le disiez si bien, un élan vers l'absolu.

Après avoir transformé votre ville nord-américaine, votre souci fut le développement urbain; vos détracteurs philosophes, comme Monsieur Jean-Claude Marsan, ne pourront jamais, avant d'aller vous rejoindre, démontrer leur génie dans ce domaine. Vous affirmiez que la création d'un développement urbain est une forme savante de la culture, et celle-ci, rien d'autre qu'un état d'esprit, un état d'être, vous disiez aussi, l'état d'âme de l'humanité d'une époque à l'autre, et citiez Malraux: «La culture c'est ce qui triomphe de la mort.»

La création est toujours le témoin éternel de l'esprit qui l'a dirigée et réalisée. Vous aviez dit, je m'en souviens, «(qu') il n'y a pas de développement sans durée, comme il ne peut se trouver de culture en dehors du temps.»

C'est grâce à vous que votre ville a gravi laborieusement les échelons qui l'ont conduite au rang de cité internationale. Vous aviez clos votre avant-propos rédigé pour mon livre *Construire l'Avenir* par cette phrase qui a devancé le guide Michelin: «Avec Roger Taillibert et son grand Art, Montréal se trouve au niveau des villes universelles.»

Pour reprendre André Malraux, ce ne sont pas les théories qui ont rendu manifeste la profonde parenté entre une forme et une autre de l'architecture: ce sont des œuvres!

Tous nos entretiens nous révélaient notre exceptionnelle communauté dans la perception de l'architecture, et de façon lumineuse. Je viens de retrouver cette phrase de Malraux qui définit l'art du patrimoine futur et je la dédie, avec votre souvenir, à Jean-Claude Marsan:

«L'architecture est le jeu savant, correct et magique des formes assemblées dans la lumière. Puissent plus tard nos bétons se révéler si rudes que, sous eux, nos sensibilités soient fines.»

La qualité de votre analyse m'a été précieuse et propice à la création. Je vous remercie de l'avoir eue et de l'avoir écrite.

Si je semble bien sentimental, c'est que j'ai été bien souvent ému par nos relations et nos grandes connivences, que cela m'a été doux dans une vie dure.

Et si l'amitié se définit par un échange d'estime et d'émotion, la nôtre fut d'un grand cru. Vous me manquez.

Lettre cinquante et un

L'architecture n'est pas un métier, mais une passion contrôlée. J'essaie de faire de l'architecture; un diplôme ne correspond jamais qu'à un passeport: la frontière passée, nous en cherchons la signification.

Sans acquis technologique et sans expérience des matières, de la résistance des matériaux, que peut-on devenir? Un assistant, rien d'autre. L'architecte est un bâtisseur.

La conception repose sur la créativité, sur une sensibilité instinctive et imaginative, et sur des connaissances artistiques fondamentales. Sans courage et audace, il n'est pourtant nulle création. Les résistances sont nombreuses; la vision dans l'espace de l'œuvre à réaliser, si présente dans l'esprit du créateur, demeure toujours très difficile à faire partager aux interlocuteurs sceptiques qui détiennent le pouvoir de décision.

Quand j'ai cité l'audace, c'est qu'il faut savoir s'évader des «chantiers» battus, écarter la facilité, refuser que l'architecture soit perçue une fois pour toutes comme un éternel recommencement.

Comme je vous l'ai dit bien des fois, pour faire de l'architecture, il ne faut jamais perdre de vue l'idée maîtresse du bonheur mais, au contraire, toujours penser qu'elle doit façonner ce que l'on appelle aujourd'hui le cadre de vie.

Afin que ma lettre ne prenne pas l'allure d'une conférence aux anges, j'en reviens à l'origine: j'ai toujours eu le désir de bâtir.

Mon père était un admirable artiste dans le domaine du bois; quant à ma mère, après avoir fait un long séjour à Paris, elle me parlait sans cesse de la capitale, de la grande maison où elle faisait ses robes. Elle construisait avec du tissu.

L'acte de construire s'inscrit dans une culture de la machine et de la forme.

... Venir à Paris à 5 ans, monter sur la Tour Eiffel, voir ce monument immense, provoquent une forte impression qui ne vous quitte plus. Vous la racontez à vos amis de l'école, et votre profond dessein n'est plus que de revoir ce monument qui est l'image absolue de Paris, l'image de Paris dans le monde entier.

Je sais, cher ami, que votre sentiment profond de vieux Français a été malmené par des esprits ambitieux et jaloux. Jamais un homme intelligent n'a pu un seul instant croire que la Tour Eiffel serait démontée et reconstruite à Montréal. Mais vous avez durement lutté contre cette armée sans chef qui voulait votre destruction. Montréal a repris naissance grâce à vous; l'homme passe, mais laisse des traces moins mortelles que lui.

Je vous avais dit que mon père, fin lettré, m'avait souvent raconté l'Exposition universelle de 1900 avec ses trottoirs roulants, l'imposante galerie des machines. Il savait, à travers les livres qu'il avait rapportés de cette exposition, nous décrire toutes ces créations immenses et hors mesure. Tout cela représentait le monde merveilleux de la création, celui qui fait rêver.

Je vous laisserais sur votre faim si je ne vous disais pas que, dans ma région natale, la Sologne, où les hommes mouraient du «ventre jaune», c'est-à-dire de la malaria — le pays étant envahi par les moustiques et marécageux —, j'ai pu vivre familièrement toute l'histoire des grands châteaux:

Lettre cinquante et un

Amboise, Chambord, Blois, Sully s/Loire, toute la très grande richesse architecturale de la vallée de la Loire. Figurez-vous que Romorantin, où j'allais au collège, faillit connaître un grand destin: François Ier, le roi mécène, après avoir lancé Jacques Cartier sur les mers, avait fait venir en France Léonard de Vinci qui y avait conçu le projet d'une très grande ville. Léonard mourra au Clos Lucé à Amboise, dans la maison de la mère de François 1er où sont conservés tous les modèles de ses recherches; j'ai pu les y admirer maintes fois.

Eh bien! Que vous le croyiez ou pas, c'est à l'exposition du Musée des beaux-arts de Montréal que j'ai pu voir les dessins de Léonard de Vinci que possède la Reine d'Angleterre et qu'elle avait prêtés à cette occasion. C'est donc dans votre ville que j'ai appris la fin de l'histoire de celui qui, voisin de mes ancêtres, fut un des plus grands hommes de notre planète.

Si c'est François 1er qui ramena Léonard en France après la victoire de Marignan, le grand artiste y était cependant déjà connu; Louis XII était déjà allé en Italie et connaissait ses œuvres. Il connaissait aussi la valeur exceptionnelle de l'homme et le combat de chapelle sévissant entre lui, Raphaël et Michel-Ange, qui neutralisait ses actions en Italie — comme quoi la guerre des clans ne date pas d'aujourd'hui.

François 1er avait donc décidé que, Romorantin étant le centre de la France, un palais devait y être construit. Il en chargea Léonard de Vinci qu'il récompensa richement et qui mena grande vie, au milieu de fêtes somptueuses. Devenu gaucher après un accident vasculaire, celui-ci réussit néanmoins à prodiguer son immense pouvoir de création sans interruption jusqu'à sa mort. Son projet prévoyait de détruire Villefranche, construite par les Romains, et de relier la Loire et deux rivières en un canal géant. Création de jardins, urbanisme prévoyant une circulation souterraine et un système de livraison par bateaux: c'était l'innovation.

Considérant l'âge de Léonard de Vinci, François 1er se hâta de lancer l'opération, mais la malaria survint: deux cents ouvriers moururent. Le Roi céda devant la malédiction et arrêta le projet. Tout ne fut pas perdu: Chambord et le château de Blois profiteront des études de celui qui n'avait pu bâtir en Italie; Le Boccador, qui travaillait à Amboise chez Vinci, dessinera l'hôtel de ville de Paris qui offre, avec le vôtre, de sérieuses similitudes.

Grande leçon de la vie! J'en ai fini pour ce soir et vous laisse déguster cette page d'histoire. J'espère qu'elle vous intéressera. L'histoire est un monument à ne pas négliger!

Lettre cinquante-deux

Vous aviez beaucoup voyagé pour un but précis: enrichir votre ville et votre culture; pourtant, vos déplacements trop rapides vous empêchaient d'aborder profondément la richesse de l'Espagne, de l'Italie, de l'Allemagne, de l'Angleterre, de la Grèce, de la Turquie.

Pendant de nombreuses années, avant de construire, je parcourus le monde, allant jusqu'en Amérique du Sud, chez mon ami le professeur Candela qui enseigna à l'Université de Chicago. Ceci est la route toute simple qui me conduisit à bâtir et non à devenir un théoricien de l'architecture sans responsabilité.

Je ne vous parlerai pas de mon œuvre, vous la connaissiez. C'est d'ailleurs, pour un créateur, l'exercice le plus périlleux et le plus difficile; la critique suppose une distance; le créateur n'a que celle qui sépare son désir de sa réalisation, au mieux. Mais très souvent, en raison de ce manque d'objectivité et pour s'assurer le marché futur, il utilise la médiatisation. C'est pourtant le temps seul qui permet une juste analyse des valeurs.

Vous saviez très bien, vous qui fûtes un grand décideur, que ce n'est ni la presse, ni le professeur, ni le ministre de la Culture qui jugera, mais le peuple. C'est en lui, dans la sensibilité profonde et hors des modes, que s'élaborera le vrai jugement.

Je reviendrai par contre sur des bases fondamentales qui ne peuvent être contredites. Tout créateur d'une œuvre architecturale se trouve confronté à des préoccupations déterminantes qui sont l'espace, la matière qui occupe cet espace et l'écriture de cette matière, qui permettront de définir des rythmes et d'atteindre l'harmonie.

Enfin la lumière sera un juge permanent faisant apparaître ce que les hommes ne peuvent toujours expliquer ou légitimer: la grâce ou la laideur.

Vous saviez combien je considère la lumière comme un des matériaux essentiels de l'architecture contemporaine. Depuis la fin des guerres de fortifications, les murs se sont ouverts: là encore, c'est Léonard de Vinci qui fut le précurseur, enrichissant par la lumière les châteaux jusque-là clos pour se défendre.

Enfin, si l'informatique répond au rêve de simplicité du dessinateur, il faut éviter la répétition qu'elle induit et qui crée une si affligeante morosité dans la création de l'espace.

L'architecture doit s'enrichir par la création, comme un véritable besoin synonyme de culture; elle doit être recherche de mieux-être dans tous les sens, du plus matériel au plus immatériel. À bientôt.

Lettre cinquante-trois

Cher ami,

Cette XXIe olympiade allait enfin être assurée.

Malgré toutes les difficultés créées volontairement pour nuire politiquement à l'administration de la Ville, le 3 juin 1976, les désordres avaient été résolus. Vous remettiez au Commissaire général une partie des équipements.

Ce jour-là, une clameur monta dans le ciel: des milliers d'hommes réunis acclamaient les réalisations.

Tout, pourtant, avait été fait pour vous ôter tout moyen politique de sortir d'une situation difficilement maîtrisable; une excellente gestion souterraine des troubles complétait celle, désastreuse, du chantier.

Dans la campagne de dénigrement dont je fus la victime et qui vous visait à travers moi, on a fait avaler aux Québécois que je ne connaissais rien aux tempêtes de neige (cela dure encore, vingt ans après). Vous saviez personnellement à quoi vous en tenir à ce sujet: le directeur des Sports de France, le colonel Crespin, vous avait informé de mes réalisations et en particulier du Complexe préolympique de Font-Romeu.

Situé à deux mille mètres d'altitude, il est devenu aujourd'hui un centre d'entraînement offrant plus de quarante mille nuitées par an à des sportifs européens. À cette altitude, la neige existe en manteaux de trois à quatre mètres. Je n'ai encore effectivement jamais vu cela à Montréal.

Cette réalisation de Font-Romeu, qui fut un succès, me permit de connaître toutes les fédérations. Notre président de la République, avait souhaité de bons résultats à Mexico: ce fut une avalanche de médaillés malgré l'altitude.

En septembre 1967, j'avais été contacté pour résoudre le problème du Grand Stade de Paris: le Parc des Princes venait d'être démoli pour laisser passer le périphérique. L'idée se dégagea de conserver ce stade urbain dans la ville, avec une capacité raisonnable de cinquante mille places, quand le vieux Parc des Princes n'en accueillait que vingt-sept mille dont une partie «debout».

Après avoir étudié différents stades à l'étranger, en Hongrie, en Allemagne, en Espagne, en Angleterre et en Amérique du Sud, je suggérai un programme de cinquante-trois mille places assises. L'ordre venu de la Présidence confirma ce choix: tout le monde serait assis et ce serait le premier stade en Europe à offrir cette sécurité. Nous étions loin de l'enfer des places debout. De grandes contraintes pesaient sur le projet: construire sur un tunnel et y asseoir vingt-cinq mille personnes; placer le spectateur près du jeu, etc.

Les compétences, je les avais donc, celles de construire en fonction de la neige comprises.

Mais nous sommes, nous les architectes, souvent mis en cause dans les grands projets pour des dépassements budgétaires avec lesquels nous n'avons rien à voir. Cela ressemble fort à une prise d'otage. Le principe des concours, a priori démocratique mais de plus en plus faussé, répond de mieux en mieux au système de Cour. Frank Lloyd Wright avait déjà fait une analyse accablante de ce système qui revient à faire choisir à une moyenne d'hommes plutôt moyens des projets qui subiront ainsi une censure préalable implicite: soit que les créateurs anticipent sur les critères médiocres qui seront privilégiés, soit qu'ils épousent d'emblée le goût du jour ainsi institutionnalisé. C'est dire qu'un tel système privilégie

Lettre cinquante-trois

rarement l'originalité et le grand talent. Un tel barrage n'est franchissable que par des appuis politiques forts. Ce recours a aussi ses vices: car le sort réservé au choix de l'architecte s'étend vite aux choix des entreprises. Le réseau réservé, ainsi créé, instaure des filières incontrôlables dont les conclusions financières apparaissent vite: les firmes systématiquement chargées des grands travaux font s'envoler les prix. Dans toutes les réalisations ayant abouti, et sans grève, le résultat financier est de trois à dix fois la valeur annoncée par l'État. Ce que vous appelez déficit au Canada sont des dépassements financiers non contrôlés.

C'est la raison pour laquelle les petits juges ont utilisé la mise en examen de toutes les entreprises ayant collaboré à de telles réalisations. Albert Malouf a fait école: il n'y a jamais de conclusions.

Soyez rassuré: je n'ai jamais voulu participer à de grandes opérations en France. Je suis d'ailleurs sorti de La Villette; les mystifications étaient trop importantes, le copinage trop coopératif et la corruption trop organisée: l'école du Québec m'avait suffi (de un milliard, le projet de La Villette, que j'avais lancé puis abandonné, est passé à sept).

On pourrait écrire beaucoup: vous verriez que la commission Malouf est digne d'une fable de La Fontaine.

Mais cette fable, vous l'avez vécue avec toute l'énergie qui était en vous, celle de la vérité. Laissez-moi vous dire aujourd'hui (même s'il m'arrive de changer d'avis lors d'humeurs chagrines ou querelleuses) que vous avez bien fait de ne pas prendre votre plume pour répondre. Les scandales sont légion chez nous et les sommes en jeu correspondent à des milliards de dollars; la dette de Montréal a-t-elle jamais existé? C'est la politique… Votre amitié me manque.

Quand vous aviez, en 1970 à Amsterdam, «décroché» les Jeux pour Montréal, la population en fut heureuse, ignorant tout de la guerre secrète qui se préparait contre votre équipe et votre ville.

Le ministre Marc Lalonde révélait récemment, dans une émission de Radio-Canada, comment il avait transmis par téléphone cette nouvelle à son ami le premier ministre P. Elliott Trudeau: «J'ai une mauvaise nouvelle; Drapeau vient d'avoir les Jeux. On n'a pas fini de passer à la casserole.» La vérité souffre quelquefois des contraintes qu'on lui fait supporter, mais parvient presque toujours à se faire entrevoir.

À l'époque d'Amsterdam et même après la réussite de l'Exposition universelle, la ville de Montréal n'apparaissait pas encore comme le berceau du Canada. Face à la tempête, vous avez tenu la barre, sachant que jamais l'homme d'action n'est seul. À croire que l'action ressemble à une carapace invulnérable: comment pourrait-on expliquer un climat de déstabilisation entretenu et géré depuis tant de temps et avec tant de succès?

Les patrimoines dont s'enorgueillissent nos pays, ce sont des hommes comme vous qui les ont créés. Personne ne pourra vous attaquer sur l'importance de l'investissement: il est le prix du passage d'une culture et d'une civilisation à travers une époque.

Vous aviez réalisé cette magnifique exposition pour montrer au monde entier que votre ville, votre pays, existaient. Tout le monde sait, ami ou ennemi, que vous étiez un

Lettre cinquante-quatre

nationaliste. Vous avez résisté aux puissances mystérieuses qui existent en politique, puisque vous fûtes deux fois réélu à la tête de votre ville; c'est la maladie seule qui vous fit renoncer à conduire Montréal vers des horizons encore plus glorieux.

Je sais que le gouvernement du Québec et votre puissant ami Paul Desrochers participaient à cette opération, et vous appuyaient avec une véritable conviction. Pourtant, si l'influence de cet homme de qualité fut grande, ses choix vous ligotèrent. L'appui du gouvernement fédéral au C.I.O. n'était pas total. Vous aviez une épine dans le pied: l'action qu'entreprenait au Québec le gouvernement général rendait très prudent le fédéral. Je crois même qu'il devenait votre ennemi, malgré les relations qui semblaient excellentes vues de l'extérieur.

J'ai toujours été admiratif de votre jeu d'équilibre, sachant que votre désir profond était de voir venir la jeunesse du monde entier à Montréal, avec près de dix mille journalistes.

Vous étiez le premier magistrat de la ville, mais pour que Montréal égale Rome, Tokyo ou Munich, capitales rénovées après leurs défaites historiques respectives, pour qu'elle prenne la même dimension, extraordinaire à vos yeux de Canadien français, vous alliez devoir démontrer au monde entier, qu'après avoir subi plusieurs siècles d'occupation, cette ville allait, avec sa province, manifester une puissance égale à celles des villes et pays détruits: le Japon, l'Allemagne, l'Italie.

Je sais que pour vous c'était un enjeu historique important; votre meilleur appui venait de l'au-delà, d'un Français oublié de sa patrie et que vous vouliez honorer: le baron de Coubertin. Combien de fois m'avez-vous lu des écrits de ce personnage hors du commun qui donna sa vie au sport! Je pense que lui aussi doit amèrement regretter ces jeux de Berlin qui annoncèrent l'incendie de la planète.

Ce sont vos idées qui protégeaient l'homme seul et sans financement que vous étiez. L'impôt volontaire fut une trouvaille. L'invention des caricaturistes vous aida et noircit les papiers des journalistes.

Ce sont plus souvent les idées que les milliards qui manquent pour réussir. Ce n'était pas votre cas.

Lettre cinquante-cinq

Cher ami,

Nous étions donc en 1972 et vous aviez compris qu'il ne restait que quatre ans pour atteindre la date fatidique.

Nous fîmes de nombreuses réunions avec vos services que j'avais déjà entretenus du programme du Parc olympique qui était prêt, sauf le Village olympique dont je n'avais pas la responsabilité et dont le prix sera multiplié par trois — sans problème de création inédite ou de Taillibert-et-Drapeau!

Vous souhaitiez que les athlètes soient présents dans l'enceinte olympique. Après avoir travaillé avec André Morin et MM. Jacques Dupire et Pierre Charbonneau, nous préparions à Paris, dans le secret, un film sur la maquette et le développement total du projet du Parc olympique. Il sera projeté devant trois mille journalistes internationaux à qui vous aviez alors exposé les projets devant être développés sur le Parc olympique. Vous aviez, ce jour-là, soulevé une ovation générale de la presse, pour la qualité de votre proposition et de votre exposé.

Parallèlement, vos services techniques, ingénieurs et architectes, analyseront tous les montants d'investissement dont la valeur n'était pas discutable à cette époque et correspondait à la réalité des cours des matériaux.

Mais, dans la vie planétaire que nous abordons et qui permet toutes les variations, la crise mondiale du pétrole, en 1974, influença sérieusement les données financières par une répercussion importante sur tous les produits manufacturés, ciment, acier ou autres, entrant dans la construction.

À cette époque, les troubles les plus générateurs de hausse éclatèrent à la baie James où la Commission Cliche démontra une volonté indéniable de détruire les investissements de l'État. À cette même époque, vous pensiez obtenir un statu quo; nous avions déjeuné à l'hôtel Ritz avec M. André Desjardins alias «Dédé», mais il fut impossible d'obtenir pour les Jeux Olympiques ce que vous aviez obtenu pour l'Exposition universelle, c'est-à-dire un accord de bonne conduite jusqu'à l'ouverture des Jeux.

Après ce refus, les sabotages, les vols et l'absentéisme du personnel payé commencèrent à faire valser le coût des installations. Je rappellerai simplement un chiffre: près de soixante millions de dollars de location de grues, honoraires non compris.

Heureusement, les syndicats ne représentaient pas les professions industrielles. C'est là que l'art de la préfabrication sur des territoires neutres, hors de l'emprise des Jeux, fut favorable à la réussite.

La neutralité, voire souvent la bonne volonté des employés du chantier, était souvent bouleversée par tous les moyens que la peur peut engendrer: alerte à la bombe, influence sur le personnel, sur leurs femmes, enfants, etc.

«C'est un peu comme si, il y avait quatre mille ans, nos ancêtres, journalistes sur papyrus du monde méditerranéen, avaient appris que les cent mille fellahs constructeurs de la Pyramide, travaillés par des marchands d'esclaves venus des sources du Nil, s'étaient croisé les bras et assis sur les pierres taillées au lieu de les mettre en place. Imaginez l'angoisse! Sera-t-elle ou ne sera-t-elle pas achevée pour la mort du

Lettre cinquante-cinq

pharaon? Le Stade sera-t-il ou ne sera-t-il pas prêt pour l'ouverture des Jeux Olympiques mondiaux?» (René Barjavel – *Le Journal du Dimanche* 11/04/76).

La loi de financement fut aussi bloquée à Ottawa: il est plus que probable que tous les choix favorables à Montréal se heurtaient à la peur d'un gouvernement minoritaire ou bien à l'influence anglaise jalouse de son emprise.

À bientôt.

Ce soir, je voudrais vous reparler de cette dette éternelle, même si vous n'en avez plus rien à faire là-haut.

Je ne vous rappellerai que quelques chiffres.

Le gouvernement avait pris la décision d'instituer une taxe olympique sur le tabac, en plus de la loterie et des ventes d'actifs. Les produits financiers prévisionnels entre 1976 et 1983 auraient dû s'élever à un milliard neuf millions de dollars. En résumé, la dette devrait avoir disparu en 1983 et le retour des bâtiments à la Ville s'effectuer enfin. Ces chiffres ont été relevés dans le discours sur le budget du 11 mai 1976 comme proposition de remboursement.

Pour le malheur des Québécois et le bonheur des gouvernements, la taxe sur le tabac a été maintenue et le produit financier apporte les deux milliards requis mais, et cela devrait vous faire sourire, il resterait encore une dette de quatre cents millions.

Regardez bien cette comptabilité, elle a l'avantage de permettre beaucoup de dépenses intermédiaires; le mécanisme fonctionne bien et permet beaucoup d'études inutiles et largement financées. L'impôt volontaire, votre invention, est une merveille pour des économistes modernes. Je n'oublie pas que vos électeurs ont payé deux cent quatorze millions de dollars de taxes en plus.

Le temps vous donne raison, mais la raison prévaut peu sur terre.

Lettre cinquante-six

Aujourd'hui, d'après les derniers journaux techniques, et de l'avis des techniciens du Comité olympique, ce complexe compte parmi les meilleurs au monde. Mais le contenant se vide de contenu, faute de stratégie sérieuse pour le sport. Je vous l'avais déjà écrit: aucun véritable sportif ne fait partie du Conseil d'administration de la Régie olympique.

Sans les jeux dans l'est de Montréal, le métro n'aurait pas été prolongé, aucune activité sportive développée.

Si votre choix était de développer les équipements pour la jeunesse de l'est, eh bien la politique qui sévit depuis travaille essentiellement à le trahir.

Quant aux coûts qui furent multipliés par cinq, toutes les informations existent et l'on peut dire sans se tromper qu'un tiers fut provoqué par la crise du pétrole et l'inflation, le deuxième par les retards de décision financière, et le dernier par les sabotages et vols organisés, ainsi que les relations de travail pour lesquelles M. André Desjardins n'a pas voulu coopérer avec vous.

Il est certain que la Commission Cliche avait démontré les mécanismes des coûts excessifs.

Aujourd'hui, M. Claude Brochu, l'un des copropriétaires du Club des Expos a eu une autre idée: pour remplir un stade, il faut le mettre en centre-ville. Votre stade n'aurait plus qu'à devenir un lieu de foire-exposition.

M. Claude Brochu se trompe en posant le problème dans l'alternative: équipe ou stade? Je crois que c'est un homme très fin; il a vendu son équipe à un marchand de tableaux qui paiera le cadre le plus coûteux de sa vie pour réussir.

Je viens de vous parler du financement, le plus grand reproche que l'on vous ait fait.

Le 27 juillet 1973, le premier ministre Pierre Elliott Trudeau faisait passer la loi qui vous permettait de lancer ce préfinancement que vous attendiez depuis deux ans.

Je crois que le ministre Marc Lalonde dit la vérité quand il raconte aujourd'hui qu'à Ottawa, tous étaient atterrés de votre succès... Malgré le fait que vous pouviez vous passer de sommeil, je sais que vous étiez inquiet à propos de ce vote.

Par contre, les championnats du monde cyclistes avaient lieu en 1974 et il fallait trouver un moyen d'accueillir une des plus grandes rencontres du cyclisme mondial. Tous mes plans étaient entre les mains de vos services.

L'inquiétude du président de l'union cycliste internationale fut dissipée, car les projets de piste avaient été préparés et il suffisait de choisir une alternative. Ce qui fut décidé très vite à l'université où un équipement temporaire fut réalisé avec compétence par votre Service des travaux publics.

Je viens de retrouver une lettre du président de l'Union cycliste canadienne, M. Raymond Lemay, qui vous remercie: vous et votre équipe aviez fait un excellent travail sans mandataire coordonnateur.

La Ville de Montréal avait parfaitement su réaliser en quelques semaines ces championnats du monde.

Lettre cinquante-huit

André Desjardins, chef de la Fédération des travailleurs du Québec, vient de quitter la terre pour les autoroutes de l'au-delà.

Notre dernière rencontre avait eu lieu dans un avion; il revenait du Gabon (pays de la source inépuisable de la société ELF), mais ce dont je me rappelle, c'est d'une rencontre organisée par vous à l'hôtel Ritz avec ses ingénieurs pour obtenir un accord avec les syndicats. Malheureusement cet accord ne fut pas possible.

Malgré une discussion fort agréable, rien ne put sortir de ce dîner, sauf la reconnaissance d'un très grand projet valorisant le Québec et la ville de Montréal. Histoire curieuse! Car le jour où Claude Rouleau prit en main les syndicats, il obtint ce que le Maire n'avait pas obtenu, mais sans doute avec des moyens que vous ne pouviez offrir.

C'est Desjardins qui permit que les Jeux eussent lieu, car la Fédération des travailleurs québécois avait pris le chantier à cœur. Ceci est une vérité à lire entre les lignes.

Je reprends la plume pour vous entretenir de gigantisme et de mégalomanie. Nous venons aujourd'hui de construire un stade à Paris. C'est bien la mégalomanie qui a frappé l'État en le poussant à établir une loi spéciale: celle-ci lui permet de donner à un consortium, non seulement l'utilisation du stade de quatre-vingt mille places (or les places à faible prix n'offrent aucune visibilité à leurs occupants), mais également une subvention annuelle de soixante-quinze millions pour éviter le déficit de l'ouvrage. Nous avons des politiques généreux en subventions.

Nous faisons aussi en France des erreurs, devons-nous donner des conseils? Nous n'aurons pas de Commission Malouf, seulement des petits juges qui n'arrivent pas à monter leur procédure pour extraire la vérité.

Votre curiosité a été souvent satisfaite en France, mais ce serait difficile aujourd'hui. C'est que notre fable ressemble bien à la vôtre: dette épongée-renouvelée, mégalomanie des politiques, «Grands chantiers»… L'actualité le démontre: le juge Malouf pourrait recommencer sa carrière en France, il y a une place.

À bientôt.

Lettre soixante

Vos services avaient souhaité voir l'entreprise qui avait réalisé avec maîtrise le Vélodrome poursuivre sa mission dans l'équipement général, stade, mât, piscine…

Votre arbitrage permit de regrouper Desourdy et Duranceau, mais probablement dans un partage peu équitable. M. Phaneuf fut témoin de ces discussions dont l'une fut plus directive que les autres.

Dans les coulisses, apparut à ce moment précis, présenté par le directeur et M. Gérard Niding, M. Bernard Lamarre, choisi pour «faire barrage à Taillibert»!

Les propos tenus par M. Niding pouvaient avoir plusieurs origines. Incompréhension totale du projet en cours? Résultat d'une désinformation asphyxiante? Bernard Lamarre avait le génie du barrage.

À bientôt.

Cher ami,

Je repense parfois à M. Kenneth C. Johns. Ce professeur en génie civil à l'Université de Sherbrooke, courtois et plein de bonne volonté, semblait dépassé par les exigences du client qui voulait sortir de l'impasse du toit! Comme il éprouvait des difficultés à obtenir la vérité sur ce dossier, il ne pouvait que laisser faire les forces d'influences qui maîtrisaient le projet, lui-même et sa commission.

Au cours de nos entretiens téléphoniques et en interrogeant l'équipe Lamarre, M. Kenneth C. Johns avait appris beaucoup sur la conception des erreurs réparables ou irréparables. Je dois vous dire qu'il m'écrivit personnellement pour que je fasse une proposition, mais le comité des mystificateurs s'y opposa.

Voilà, encore une fois, une page de vérité.

Lettre soixante-deux

Je viens de relire une déclaration de Charles Lapointe, P.D.G. de l'Office des congrès et du tourisme de Montréal.

En premier lieu, Charles Lapointe est un admirateur de Paris et de la richesse de ses monuments. Après avoir relevé tous nos monuments, il en vient à Montréal, il cite la seule réalisation monumentale digne de ce nom: le Stade olympique. Je cite: « (…)avec le temps, cette construction belle et complexe s'est imposée aux Montréalais et elle est devenue le symbole de la métropole à l'étranger.» Il poursuit: «Le Stade se range aux côtés des plus grandes structures au monde: Pyramides, Basilique Saint-Pierre de Rome, sans oublier que le guide Michelin (La Bible des voyageurs) lui a décerné une mention trois étoiles. De quoi être fiers.»

Plus loin, il écrit: «Il fait partie de mon paysage urbain et j'aime sa présence.»

J'ai retrouvé cette déclaration et je pense qu'elle est conforme à vos vœux. En prolongeant la lecture de l'article, je vois qu'il vous félicite du choix de la fontaine de notre ami Riopelle et encore du Biodôme. Ce que je ne partage pas, vous non plus d'ailleurs, car un lieu sportif n'est pas un musée. L'erreur provient de ce que ce type de construction n'est pas à sa place et devrait se trouver dans le Jardin botanique.

Il n'y a rien à faire. Dans votre pays, les évidences s'écroulent sous les causes obscures. S'il existait une psychanalyse de l'histoire des sociétés, je pense qu'on inventerait le concept du «complexe québécois», celui du colonisé qui tire de toutes ses forces vers la droite parce qu'il croit que le colon tire vers la gauche; celui d'un peuple coutumier des fatalités. À bientôt.

Je relis la lettre que j'avais adressée à Monsieur le premier ministre Bourassa, concernant les erreurs de la toiture, dues à une incompétence technique profonde de la part des réalisateurs improvisés. Je lui avais recommandé de ne pas réaliser une toiture en acier, inadaptable sur cette structure.

Cette correspondance devait faire comprendre au Premier ministre qu'il fallait restaurer sérieusement la toiture actuelle, et surtout éviter de s'engager dans une toiture fixe métallique.

Paris, le 14/04/92.

Cher Monsieur Bourassa,

Je viens de prendre connaissance, dans *La Presse* de ce jour, de votre intervention sur le problème du stade et de sa toiture.

Ayant ainsi rompu votre silence sur ce problème «artificiellement grave», je crois devoir attirer votre attention sur la réalité et les enjeux de cette «affaire».

En prenant connaissance des rapports techniques de la commission d'experts où l'on trouve, en termes mesurés et clairs, la dénonciation d'une bonne moitié des causes de désordre auxquelles les propositions S.N.C.-Lavalin n'apportent aucune solution, force nous est de conclure que lesdites propositions augmenteront les difficultés relevées par les experts, leurs auteurs n'apportant guère de crédit à leurs propres suggestions puisqu'ils annoncent de nouvelles déchirures, provoquant ainsi de graves incidents dans la structure même de l'édifice.

Lettre soixante-trois

Ces réparations de fortune ne feront qu'aggraver les prochaines déchirures et les conséquences des secousses imprévisibles pour la structure même du stade (exemple: poutre qui tombe quinze ans après). Le choix de ce risque devient grave et s'il n'est pas mis rapidement fin aux innovations, je me verrai moralement obligé d'interrompre le silence auquel je me suis astreint jusqu'ici, malgré les pressantes demandes des médias.

Vous êtes probablement victime d'une désinformation technique et d'apprentis sorciers qui veulent couvrir leurs erreurs en les aggravant.

Comme toujours, je suis disposé dans les plus brefs délais à vous exposer la nature réelle de ce problème, ainsi que la réponse qui pourrait être apportée rapidement. Dans cette attente, cher Monsieur Bourassa, veuillez croire à l'expression de mon plus cordial souvenir.»

Vous devez, cher ami, me trouver d'une cruauté particulière, de vous poursuivre ainsi jusqu'aux horizons avec des lettres à ce cher Monsieur Bourassa. Je sais que vous préfériez l'opéra, les arts, le sport. Mais vous devez comprendre que je me sens un peu seul ici avec mes trois armoires d'archives...

Abou Dhabi.

Je suis toujours dans le désert.

La chaleur torride m'a empêché de dormir. J'ai repensé à nos activités et à nos causeries.

Votre plus grande victoire politique aura été celle d'un véritable procureur assis au banc des accusés. L'exemplaire Commission Cliche qu'avait demandée, en 1974, le premier ministre Bourassa à la suite de la destruction des campements sur les chantiers des barrages d'Hydro-Québec, n'empêcha pas les suites que vous avez subies au Parc olympique. Une vague syndicale déferla en effet sur le chantier du stade, avec toutes ses exactions en cortège. Je dois dire que pour un Français de souche comme moi, ces événements sont si extraordinaires qu'ils donnent l'impression d'être plongé en pleine fiction. La *Série noire* de Gallimard compte une majorité écrasante d'auteurs américains et ce n'est pas un hasard. J'ai donc vécu personnellement tout ce qui s'est passé comme une incursion dans un monde cette fois bien étranger, pour ressortir davantage de mes lectures que de mes expériences. Des accidents mortels en nombre et inexpliqués (inexplicables aussi?) sur le chantier; des ingénieurs, vous-même, moi-même, escortés par des policiers en civil pour être protégés! Un architecte ne voit jamais cela en France. J'ai pourtant beaucoup construit à l'étranger, des pays arabes à l'Amérique latine. Les cadavres n'y ont pas ponctué les étapes de réalisation. Construire aux dépens de sa vie, je n'ai

Lettre soixante-quatre

enduré ce risque qu'au Québec. Ce n'est pas le meilleur de l'influence américaine.

Les destructeurs de la baie James avaient pollué votre chantier: que venait y faire soudainement un homme comme Yvon Duhamel, le fauteur de troubles de la baie James, qui écopa de dix années d'emprisonnement à la suite des requêtes du juge Cliche? Que faisait le coordonnateur chargé de régler ces problèmes? Puissante nuisance de toutes ces relations de travail, syndicats profiteurs, entrepreneurs malveillants, gérants de projet, mandataires auxquels vous aviez donné des missions précises et bien rémunérées: les conditions d'exécution de l'ouvrage furent épouvantables.

Il suffit pour s'en convaincre définitivement de relire les conclusions du premier tome du Rapport Malouf: deux personnes étaient responsables, mais on n'a jamais cherché à citer les véritables auteurs des méfaits. S'ils ont été identifiés, le payeur de taxes a, une fois de plus, payé pour rien les activités d'une commission qui ne permit qu'à peine d'apercevoir la vérité, tout en la maquillant d'analyses et de présupposés partiaux et sans preuves.

L'enfer n'est décidément pas pour vous et le diable a déjà fait son choix. Je vous ai souvent confié mon trouble personnel quant au racisme de cette commission. Son président, en portant le patronyme de Malouf, ne pouvait pourtant pas se prétendre Canadien français de souche! Si vous pouviez encore vous soucier de votre défense, je vous conseillerais d'utiliser ses propos que la société mondiale a bannis à tout jamais. En France, nous sommes susceptibles de poursuites sous ce seul motif. Le monde a changé en vingt ans et le racisme ne porte plus beau.

En 1976, la population de votre ville, soit environ deux millions d'électeurs, vous avait permis d'obtenir cinquante-

Lettre soixante-quatre

deux conseillers sur cinquante-quatre pour vous remercier des Jeux et, certainement aussi, de votre attitude bien éloignée de ces pensées infâmes. Robert Bourassa fut battu aux élections du Québec avec un électorat bien moins nombreux.

J'ai souvent l'impression que les lieux sur lesquels j'ai construit me parlent. Je les entends, j'entends leur souffle, leurs échos, le bruit des pas des visiteurs... Le Stade olympique me parle souvent (a-t-il l'accent français?) pour me dire qu'il est là, qu'il existe, qu'il est incorruptible, que les rumeurs ne l'impressionnent pas, qu'en quelque sorte il fait, lui aussi, de la résistance.

Ces certitudes me réconfortent et c'est pourquoi j'ai envie de les partager avec vous, cher ami des temps difficiles!

Paris.

Je vois Walter Siber une fois par an, car depuis les Jeux de Montréal, ses qualités professionnelles dans le domaine du sport sont non seulement reconnues, mais utilisées par le Comité olympique et la Fédération internationale de football amateur (F.I.F.A.). C'est sans doute parce qu'il était le seul compétent en matière de sports que Lucien Saulnier lui avait demandé sa démission de la R.I.O. ...

Aucune ville ne peut faire accepter sa candidature sans une étude collective dirigée par Walter Siber sur le plan sportif. À croire que Montréal était une bonne formation; vous aviez choisi dans le C.O.J.O. d'excellents collaborateurs.

Walter me confirmait, hier au téléphone, que toutes les fédérations lui avaient adressé des lettres de félicitations pour l'organisation et la réalisation magnifiques des équipements de Montréal. Vous en avait-il fait part après les Jeux? Il m'a confirmé aussi qu'il était très souvent attaqué sur le problème des Jeux, le déficit, la ruine de votre ville.

Là, je crois pouvoir dire que si ruine il y eut, c'est depuis votre départ, car la ville ne fait que régresser. Peut-être les fleurs sont-elles arrosées, mais pour le reste tout est oubli; ni espérance, ni imagination.

Walter Siber doit répéter à merci qu'il n'y a pas eu de déficit; que le principe de financement volontaire a abouti à plus de deux milliards de dollars, alors que les équipements n'ont coûté pour tout le programme que neuf cent trente-

Lettre soixante-cinq

six millions de dollars et que l'État en a perçu la moitié en taxes. Quelle magnifique affaire! L'État prélève ses taxes.

En vérité, comme l'État n'a donné aucune subvention, vous aviez raison. La Ville possède malheureusement des équipements mal faits et non terminés ou parfois détruits, pour y loger d'autres fonctions, comme au Vélodrome, peut-être avec le surplus d'argent, mais surtout des études faites par les amis. Il ne fallait jamais consulter Taillibert pour la maintenance ou la gestion des travaux. Son prix est en effet bien inférieur et il fait ainsi de la concurrence illégale.

En fait, s'il est exact que quatre cents millions de dette subsistent, qu'a-t-on pu faire de la somme recueillie de 1976 à 1996, où les fumeurs ont rapporté à la Province un milliard sept cent quarante-quatre millions neuf cent quarante-six dollars? Seulement soixante-dix millions seraient allés au financement, d'après Guy Morin, directeur de la communication de la R.I.O.

Il s'agit, en quelque sorte, d'un impôt ou d'une punition pour avoir fait les Jeux; je crois que les équipements immobiliers sont réglés, mais l'art d'avoir une dette permet de conserver la gestion de ce bâtiment de façon politique, en empêchant la ville d'agir, en gelant également la pratique du sport dans l'est, au bénéfice du développement de grandes manifestations spectaculaires.

Ce stade devrait être privatisé. Les stades anglais sont cotés en Bourse; celui d'Amsterdam s'est construit avec des fonds uniquement privés sur un terrain donné par la Ville; à Genève, les clubs se gèrent eux-mêmes. C'est la seule solution pour stopper les gaspillages.

Dans ce dossier, une véritable analyse des comptes me semble indispensable, et ce, depuis 1976. J'espère que les électeurs finiront par comprendre que la Commission Malouf,

Lettre soixante-cinq

exportée en paroles dans le monde entier, n'avait qu'un but: déstabiliser Montréal comme seconde ville francophone.

Où est le sport dans tout cela? Et même la politique, puisqu'elle est le sport de certains?

Que deviennent le base-ball? le football? l'athlétisme ou le tennis de table? tous les sports prévus dans le complexe, cyclisme, natation, hand-ball, volley-ball, boxe, etc.?

Plus de sport, mais des expositions: curieuse inflexion de l'architecture sportive, évident mépris de la R.I.O. pour la jeunesse québécoise.

Paris.

Je viens de relire la conclusion de la Commission Malouf sur le Village olympique qui est encore un autre scandale.

Qu'aviez-vous eu encore l'idée de faire avec ce Village? Vous pensiez tout naturellement, comme il est d'ailleurs écrit dans notre Constitution française, que l'habitat était un droit pour tous les hommes. Puisque vous deviez loger de nombreux athlètes pendant les Jeux, vous vous êtes simplement dit que le provisoire coûtait toujours trop cher et que vos invités seraient mieux accueillis dans de beaux bâtiments; qu'après eux, au lieu d'avoir des structures légères à démonter, vous auriez des logements de qualité à offrir à des familles modestes. Vous me disiez souvent que c'était un luxe d'habiter près du Parc olympique et du Jardin botanique, et que vous étiez heureux de le proposer à des personnes aux petits revenus.

Comme souvent avec vous, le raisonnement était beau, simple et créatif.

Malheureusement, la culture gouvernementale ressemblait peu à la vôtre. Vous cherchiez à donner le meilleur à vos électeurs avant de penser à leur prendre leurs voix.

«Me suis-je trompé?» me demandiez-vous parfois!

Il y eut bien sûr le scandale Zaroleva, l'entreprise chargée de la construction des parkings et qui avait multiplié par trois les devis. M. Lépine, son associé, a poursuivi sa profession de brillant promoteur et fut le réalisateur actif de ces pyramides.

Lettre soixante-six

La R.I.O. brilla une fois de plus, en organisme en tous points remarquable par ses constances. Elle ne permit jamais à votre ancien procureur de la ville, membre actif du C.O.J.O., de pénétrer dans son organigramme, car, sportif brillant et juge, il aurait pu devenir dangereux. Je parle de François Godbout. Gérer du sport sans rien connaître au sport, c'est mieux. Elle ne me permit jamais de contrôler le respect des préconisations de construction du stade que j'avais entièrement créé, car, architecte concepteur, j'aurais considérablement gêné des vocations très lucratives dans le bâtiment. Contrôler des techniques qu'on ignore, c'est plus sûr. Elle ne vous laissa jamais administrer jusqu'au bout votre projet culturel et social, car le faire eût été laisser réussir une réussite, ce qui lui aurait enlevé le poids de son inventivité politicienne quand le vôtre était politique.

Se spécialiser dans le déboulonnage des compétences pour affirmer la sienne dans des domaines trop obscurs pour le public, telle fut la devise de la R.I.O. Éloignez donc Drapeau et ses mauvais enfants.

Rappelez-vous une excellente idée qui, je crois, venait de ce directeur d'école d'architecture, M. Jean-Claude Marsan, qui n'a jamais rien risqué en bâtissant mais fut un célèbre parolier. Développant une pédagogie de l'évolution sociale de la ville de Montréal, il fut très écouté; presse et médias étaient friands de sa culture transparente, de son audace, enfin de cette culture dont tous les bâtisseurs sont avides. Il fit donc un rapport (qui n'en fit pas à l'époque!) sur l'inutilité de cette construction.

Depuis vingt ans, tous les appartements sont occupés et l'on fait la queue pour en obtenir un. Malgré votre désir que ce terrain reste la propriété de la Ville, un tour de magie le fit changer de propriétaire après votre départ de l'hôtel de ville. Aujourd'hui, j'apprends que la R.I.O. a vendu ces logements «anti-sociaux» près de soixante-dix millions (encore un profit à ajouter aux revenus).

Livrons-nous à un petit calcul puisque nous sommes dans les chiffres: si je prends les chiffres annoncés par M. Marsan, en estimant à cinq pour cent par an l'intérêt de la valeur investie produit par la location (ce qui est modeste), j'en déduis un revenu annuel d'un million et demi et sur vingt ans, sur des investissements entièrement payés par l'impôt volontaire, trente millions de revenus sans la valeur du terrain ou du bâti.

Voilà encore trente millions de revenus locatifs dans la cagnotte de la R.I.O., auxquels il faut maintenant ajouter la vente. Le nouveau propriétaire, puisque ces logements ont été privatisés, a passé un contrat avec l'architecte concepteur pour réaliser un autre immeuble, afin de prendre en compte la demande d'occupation supplémentaire.

Quelle idée aviez-vous eu encore là, Monsieur le maire Drapeau, au lieu de construire des maisons en carton, destructibles après les Jeux?

Non, vous ne vous trompiez pas: l'attrait de l'est de la ville existe bien, tout autant que celui du centre sur le Mont-Royal. Il ne reste qu'à espérer la privatisation du Stade: l'hémorragie serait ainsi stoppée et l'incompétence gestionnaire jugulée. Le jour est proche où il faudra prendre une décision. Aucun gouvernement ne peut gérer un tel panier percé. Si mes chiffres ne sont pas tout à fait exacts, ils sont très près de la vérité. Voici ma dernière réflexion: intéressante, non? Même si les anges vous tiennent des discours moins terre à terre (forcément!)...

À bientôt.

Lettre soixante-sept

Paris.

Je suis rentré du Maroc où je suis allé me reposer. Ce peuple est fascinant, sa jeunesse dynamique et sportive. Je n'ai pas de contrat dans ce pays; je m'y passionne pour les gens.

Ils aiment le football. Partout, dans toutes les villes et les villages, je trouve tous les enfants jouant avec un ballon et connaissant les règles; nous sommes loin d'un pays riche comme le Canada où les enfants ne cherchent pas à trouver leur avenir dans le sport.

J'ai appelé votre épouse, surprise d'apprendre tant de choses. Je prends souvent des nouvelles de votre famille et nous évoquons les souvenirs. En voilà assez peut-être des affaires que je relève et qui malheureusement vous confirment que rien ne change ici bas. J'y suis encore, dans les luttes, l'analyse et l'action. Cette correspondance que j'adresse à votre souvenir, je me mets à rêver qu'une conscience Drapeau, quelque part dans l'univers, l'entende quand même. Elle me soulage doucement de la perte d'un ami et d'un témoin. L'absence de l'autre est une expérience difficile. Je n'ai malheureusement guère le temps de tout vous écrire. Je garde toujours le contact avec votre ingénieur, Claude Phaneuf, qui écrit un livre *La vérité sur les olympiques.*

Vous savez, il est drôle: il me parle toujours du gros chat qui est à Québec et qui a faim, et qui mangea la petite souris de Montréal. Phaneuf fabuliste? Sait-on ce qu'il veut dire? Je pense qu'il a raison; le chat est puissant et règle ses comptes tout seul. Depuis longtemps, vous aviez peur de ses griffes!...

Je ne pense pas que la petite souris soit vous-même, l'édile de Montréal. Je pense qu'il dépeint avec humour les batailles (Québec contre Montréal). Il a son langage propre et développe la vérité à la mode animalière: le Québec a-t-il trouvé son La Fontaine?

C'est aujourd'hui la date commémorative de la victoire alliée en 1945, dans cette terrible guerre où nos amis anglais nous ont permis de survivre dans la liberté, aidés par la puissante Amérique.

Lettre soixante-huit

Aujourd'hui, c'est la fête de la victoire; pas la nôtre, celle des autres, «les alliés d'après», les combattants nombreux de la guerre finie....

Cette fois, cela devient très sérieux. Pensez donc! Le gérant en chef des Expos exige un nouveau stade couvert au centre-ville et qui se remplisse automatiquement!

Vous voyez que les choses changent! Un dénommé Loria, marchand de tableaux à New York, aurait racheté l'équipe à M. Claude Brochu — vous savez? Celui qui voulait un stade découvert.

M. Loria a des associés, MM. Jean Coutu et Louis Laberge, auxquels on a «vendu» un stade neuf, à la québécoise, entre deux cents et trois cents millions, mais en construction accélérée, pour une date précise, et dont le coût avoisinera ainsi les cinq cents millions.

Vous pensez bien, même de tout là-haut, que ces deux braves financiers ne veulent pas s'engager sur ce dispositif connu et bien huilé, organisé pour aider les relations sociales et avoir un stade vide.

Il s'avère qu'à l'étude ce nouveau stade révèle de nombreux défauts et que le procédé magique du remplissage n'est pas donné dans le mode d'emploi de la construction.

Il ne s'agit plus d'un Mac Hill, Américain très pointilleux qui vous félicita devant M. Phaneuf. Il s'agit aujourd'hui de M. Loria, d'un marchand de tableaux. Je me demande quelles sont ses compétences dans le sport (mes amis marchands de tableaux à New York, bien que possédant des écuries de courses, sont plutôt faits pour vendre des tableaux que pour la compétition sportive!).

Le sport, à Montréal, devient une vraie distraction et de manière inattendue! Moins on est compétent, plus on joue aux petits chevaux. C'est la course à la réussite... Si l'on pouvait encore vous appeler au secours!

Lettre soixante-neuf

Je viens de lire la presse. Le gros chat de Québec va devoir obéir à ses voisins, car M. Dub Seling a lancé un ultimatum au marchand de tableaux. Construisez votre stade que vous remplirez comme vous voudrez au centre-ville, ou alors nous transportons à Washington l'équipe des Expos.

Voilà la réalité: la dernière étoile du drapeau américain se prépare à être tissée.

Le gros chat ne mangera jamais l'éléphant du voisinage, ce n'est pas la souris de Montréal.

Il n'est plus question de tergiverser, il faut que le gros chat fasse ses comptes et privatise le Stade. Je sais que tous les stades en Angleterre sont privatisés et le seront demain dans toute l'Europe. Pourquoi résistez-vous, Ô Québécois? Ce stade n'a plus de valeur dans votre budget ni dans les immobilisations. Il faut des gestionnaires libres.

Mon discours est peut-être influencé par votre ancien collaborateur, Ésope-Phaneuf; c'est que la fable bat son plein. Je laisse là ma fabulette charade.

Lettre soixante-dix

Je viens de faire appel une nouvelle fois à maître François Mercier.

Je me demande s'il existe une mémoire dans l'esprit des Québécois et surtout de la R.I.O. En effet, une procédure me réclamant dix-huit millions de dollars s'engage encore contre moi; c'est la guerre télécommandée contre Drapeau qui se poursuit à travers Taillibert.

Lavalin a passé un marché avec la R.I.O. pour finir le Stade. Ce marché est clefs en mains. Cela veut dire que la compétence des signataires ne permet pas d'erreurs en plus ou en moins. C'est une exécution totale et conforme au cahier des charges que doit poursuivre Lavalin.

Nous sommes sur une scène de théâtre où je suis poursuivi, comme dans Guignol, bien que n'étant pas un acteur de la pièce. Ceci se passe de commentaires. Nous laisserons le temps régulariser cette situation.

Vous voyez, le juge Malouf a fait des adeptes; l'attaque porte sur le vice géométrique. Bien que Bernard Lamarre ait validé toutes les pièces du marché, il ne les suit pas; il s'associe aux contrevérités du rapport du juge Malouf. Lui seraient-elles utiles?

Amitiés respectueuses.

Les Américains m'opposaient l'acier, base de leur technique habituelle de construction pour les stades. La guerre qu'ils nous ont menée, c'est aussi celle de l'acier contre le béton. Ils l'ont perdue parce que le béton c'est l'avenir, une matière qui permet tout avec la technique de la précontrainte. Il se comporte alors comme une glaise qu'on prend dans ses mains pour lui donner les formes qu'on décide.

Quand il est précontraint, on le moule en unités de formes aussi libres que l'imaginaire ou le dessin le veulent. Des gaines parcourent les pièces ainsi fabriquées où l'on glisse des câbles d'acier servant à mettre les pièces en tension lors de leur assemblage.

Ainsi construit, un bâtiment devient un corps enveloppant de l'acier qui le parcourt comme un squelette, des nerfs et des tendons; ce corps de pierre abrite de l'acier dynamique, devenu inaltérable dans ses coques de muscles tendus. Un tel principe de construction symbolise le stade et le sport, le corps humain dans ses exploits: il vit par une structure qui est équilibre de forces.

C'est ce que ne comprenaient pas nos adversaires, obsédés par une conception de l'architecture aussi statique que celle du jeu de l'oie répétitif de leurs conceptions politiciennes: on empile, on parcourt un linéaire sur un plan. C'était de l'imaginaire à deux dimensions.

Vous, vous le compreniez parce que vos projets aussi fonctionnaient comme des dynamiques. Nous nous parlions souvent de la connivence qui présidait à nos projets

Lettre soixante et onze

respectifs. Vous envisagiez toujours vos stratégies de manière organique, chaque chose devant fonctionner en interdépendance avec une autre et ce nouvel ensemble produisant de nouvelles possibilités. Si vos projets ont été complexes, c'est qu'ils fonctionnaient en synergie pour fabriquer de la vie, des activités, des développements, de nouvelles possibilités. Nous pratiquions la même architecture et nous nous en entretenions avec passion pendant des heures.

Vous avez aimé mon art et l'avez défendu avec ferveur, car vous pensiez qu'il rendait à votre ville la grâce de ses courbes naturelles. Vous ne vouliez plus de la dureté des droites et des angles droits: notre première complicité. Ce sont ses propres techniques qui ont condamné l'homme, depuis qu'il a quitté la caverne, à la ligne droite: à cause des pierres ou des briques qu'il fallait empiler les unes sur les autres. Le béton permet de redécouvrir les courbes et de suivre les lignes de force, belles de simplicité fonctionnelle. S'en servir pour construire en lignes droites, par habitude et paresse d'esprit, comme on a fabriqué pendant un demi-siècle des automobiles sur le modèle des voitures à chevaux, c'est se servir de l'électricité pour allumer une bougie et ne posséder aucune sensibilité envers la matière.

Chaque matériau possède une vocation propre de par ses propriétés physiques, sa *poétique,* dirait Bachelard.

Il n'y a pas d'angle droit dans la nature, ni dans la gestuelle de l'homme. Nous ne vivons pas dans un univers orthogonal, mais dans un ensemble polarisé autour de centres de gravité et d'émissions d'énergie.

Notre Stade, cher Drapeau, nous l'avons rêvé ensemble comme une trajectoire: vous, dans le règne du social et de l'humanisme, moi, dans celui d'une esthétique et d'une fonctionnalité. Il est né comme une trajectoire de balle, une balle de base-ball, bien sûr! Les Jeux ne devaient pas occulter la destination à long terme du Stade: il servirait de terrain pour le sport le plus populaire de toute l'Amérique du Nord. Si les sports de balle européens se jouent au ras du sol à quelques lobes près, la balle de base-ball peut monter à plus de 70 mètres... C'est donc autour de sa trajectoire que j'ai construit l'épure du Stade qui en a tiré son élan, son profil dissymétrique, cette forme de coquillage. Comme le disait si élégamment l'écrivain René Barjavel: «(...) de la nécessité fonctionnelle est née la beauté, comme dans cet autre objet qui se nomme le violon (...)»

Lettre soixante-douze

Cher ami,

Développer comme nous l'avons fait, à la fois une amitié et un projet très lourd, dans un contexte aussi agressif et destructeur que celui qui nous entourait, prouve une entente profonde et des ambitions communes fortes. Vous construisiez votre ville avec les principes que j'appliquais, et applique toujours, en architecture. Ces derniers ressemblent fort, au départ, à des axiomes moraux et existentiels basiques: constater que tout milieu physique, naturel ou urbain, exerce sur nous de multiples influences et s'atteler à la tâche qui consiste à en éliminer les mauvaises pour améliorer les bonnes; penser que la joie libère les hommes et les améliore, et que sa première source, c'est la santé; que la santé se produit en grande partie depuis l'environnement, social, matériel et culturel. Philosophiquement, rien que de très rudimentaire dans tout cela: c'est l'application de ces principes presque naïfs qui en révèle les immenses difficultés.

Primitivement, de quoi s'agit-il? De créer des abris pour les hommes, pour leur quotidien et leurs activités. Sécurité, chaleur et lumière doivent participer au programme avec la bonne adaptation aux besoins, qui libère du temps et de l'énergie. Le confort psychologique provient de la personnalité du bâtiment, de sa manière ou non d'entrer en harmonie avec la vie psychique et émotionnelle. Ainsi, le projet le plus pratique se doit d'offrir, en même temps, une sorte de malléabilité accueillante à la sensibilité. Faire vivre les hommes dans la dureté des droites, des angles abrupts, c'est contrarier en eux la pente du naturel et la facilité qu'il engendre, alors que les formes et les lignes courbes répondent directement à l'imagination et à l'esprit, à la nature émotionnelle de notre intelligence elle-même. C'est ainsi que pour abolir le prétexte du fonctionnel sec et illusoire de la ligne droite, la fonctionnalité naturelle de la courbe transforme l'abri en spectacle qui nous émeut pour correspondre au sens intime de notre propre géométrie. On construit aux gestes de l'homme un territoire qui leur ressemble. Toute création exerce ainsi une action invisible sur nos pensées comme sur nos actes.

La population qui en a l'usage est capable d'émotion. Nous le savions tous deux et aimions respecter cette grande qualité, vous, chez vos concitoyens, moi, chez les usagers de mes bâtiments. Nos activités respectives nous avaient fait développer le même humanisme, simple et tranquille, alors que la haine calculée et accumulée tout autour de vous répondait à un système tout contraire, qui considère l'épanouissement comme une erreur ou un point négligeable.

Ce que je voulais pour mes bâtiments, vous le vouliez pour votre ville: renvoyer aux hommes une belle image d'eux-mêmes, qui les motive pour le meilleur. Votre olympisme n'était qu'humanisme. Ce que vous admiriez dans le sport, c'était la performance intime, bien plus que celle des chronomètres.

C'est dans cette confrontation, entre l'homme d'action qu'il est et les créateurs qui l'entourent, qu'un homme public, qui travaille pour ses électeurs et s'assure la réussite, révèle sa véritable personnalité.

Vous me le disiez dans les difficultés, pour me rasséréner, parce que vous l'aviez éprouvé pour vous-même: un langage d'avenir peut ne pas être toujours perçu, du fait d'un manque de culture; j'ai souffert de la difficulté à me

Lettre soixante-douze

faire comprendre. Un architecte fait le don de soi dans sa création et ne la garde pas pour lui.

Mais ici, à Montréal, nous devions endurer des insultes proférées pour détruire ce que nos mains et nos cœurs avaient dirigé dans un concert réservé au seul sport, et non pour une orchestration du mercantilisme.

Encore une nouvelle.

Depuis la déchirure de la toiture Birdair, il était impossible d'utiliser le Stade sans risques: les expositions avaient donc été supprimées et on utilisait les piscines pour en continuer le programme. Il ne se pratiquait plus aucun sport au Parc dit olympique.

Hier, enfin, une bonne nouvelle: les piscines sont réouvertes et l'entraîneur de l'équipe nationale en a fait un commentaire très favorable à la télévision. Les bassins, très rapides, permettent aux nageurs de s'entraîner sur place sans être obligés de se rendre aux U.S.A. ou à Calgary.

La construction semble en bon état, surveillée électroniquement: il n'y a aucune raison de craindre quoi que ce soit.

Par contre, quelqu'un, un grand sportif à n'en pas douter, a suivi votre pensée: il a fait disparaître piste et équipements du Vélodrome, classé deuxième parmi les plus performants du monde.

Souvent, dans votre dernière retraite, vous m'aviez fait cette confidence amère: «L'ouverture des Jeux, c'est bien la plus grande chose que j'ai faite. On parlera beaucoup de mon exposition réussie; mais tout a été détruit, la pensée et l'esprit sont retirés de ce lieu qui fut prestigieux.»

Le maire actuel a toujours «navigué», comme l'expliquent certains de ses collègues; c'est un écorché vif par rapport à votre personnalité.

Lettre soixante-treize

D'ordinaire très reservé, il vous arrivait de vous enflammer sur certains sujets; le déficit, par exemple. Je vous entends encore: «Vous savez que je fus tous les jours pendant trois semaines sur les écrans de télévision du monde entier – ce qui, à l'époque, a fait près de vingt-quatre fois une publicité répétitive sur Montréal! Vous vous rendez compte! La ville de Montréal! Cette arme francophone s'est adressée à environ vingt-quatre milliards de téléspectateurs! C'était fantastique pour le Canada et le Québec; l'Exposition n'a jamais atteint cette dimension de popularité.

Je vous l'ai dit bien des fois, c'était ma plus grande joie en m'endormant le soir.

Mais que font-ils depuis vingt ans? Ils font disparaître Montréal. Puisqu'on a toujours parlé de déficit, voulez-vous estimer la valeur inestimable de ce temps publicitaire? Et le coût de leur contre-publicité?»

Vous aviez souvent conclu que l'artiste que j'étais ne pouvait pas apprécier une telle valeur ajoutée. En quoi vous aviez tort. J'ai autant participé à votre lutte que vous à la mienne, et si je vous ai appris certaines choses sur l'architecture, malgré votre grande culture, j'en ai également beaucoup appris de vous, de tous ordres. Je sais donc ce que valait cette audience planétaire et quel cadeau, aussi monumental que le Stade, vous aviez fait à votre ville en lui donnant cette aura et cette place dans la communication mondiale. Vous aviez d'ailleurs fini par comprendre combien j'y étais sensible, car, voyageant dans le monde entier, je vous rapportais très souvent la «cote» étrangère de Montréal.

Nous avons souvent évoqué quels inimaginables bienfaits votre ville aurait retiré de deuxièmes Jeux, sans sabotages ni coulages. Mais la contre-publicité de vos rivaux aveuglés par le court terme a terni bien des choses.

Il suffit de quelques personnages, un ministre ou deux, un entrepreneur et ses imitateurs, quelques gangsters, un juge importé qui épouse le pire de son nouveau pays pour s'y intégrer, pour ôter son esprit au quasi-miracle d'un vrai bâtisseur comme vous. Ils ne pourront jamais cependant venir à bout de tous les rêves, ni en effacer toute trace. Le Stade et sa tour résisteront plus longtemps que les messages défaisants des fonctionnaires disciplinés.

Lettre soixante-quatorze

C'est incroyable, le nombre de jeunes Montréalais qui ont peur de la fragilité du Stade.

D'où peut venir cette désinformation? Certainement pas des ingénieurs québécois qui ont surveillé cette construction.

Peut-être de l'ancienne équipe de base-ball, du commandite qui négociait son loyer avec la R.I.O.... Ne voulait-il pas détruire le Stade, ce cher Monsieur Claude Brochu? Il est facile de répondre: les campagnes de désinformation, sous lesquelles certaines incompétences se sont abritées, ont évité de distinguer les problèmes de la toiture de ceux du Stade.

Le premier exemple me conduit à la toiture Lavalin, qui s'est déchirée pour cause de mauvaise exécution et qui n'a jamais respecté les contraintes techniques très élaborées de la toiture Taillibert.

De plus, jamais je ne fus appelé à la R.I.O. pour vérifier si le marché clefs en mains, passé par Lavalin, était correct. Je pense que la réclamation d'arbitrage de Lavalin prouve qu'il ne l'était pas, puisqu'ils réclamèrent près de quarante millions pour des travaux inintelligibles pour un véritable ingénieur.

Je peux avancer sans être outrancier que l'interprétation Lavalin de la toiture Taillibert n'avait qu'un but commercial: s'approprier «l'invention» du mât et de la toiture. Une ambition privée fort coûteuse pour les deniers publics.

Les rapports d'experts ont été très précis et accablants au sujet des erreurs commises par l'équipe Lavalin dans ses conceptions techniques et ses réalisations. Globalement, il en ressort que la toile légère est traitée en élément statique et non dynamique: ils lui ont appliqué des techniques valables pour des ponts (poids, poussées, portants), mais inadéquates pour une membrane souple et mobile subissant les forces variables des vents et des effets de masse différents; ils ont donc toujours négligé les problèmes de tension de la toile qui est fondamentale: chacun peut comprendre qu'une voile tendue résiste mieux au vent qu'une toile lâche qui claque. La dernière se déchire.

En dehors de ces erreurs d'analyse sur le système mécanique du levage et de la fixation de la toile, la texture même de celle-ci a été analysée par de véritables chimistes compétents. La durée de vie du textile, initialement estimée à deux ans, a permis au toit de rester en place plus de cinq ans. L'analyse des échantillons conclura que la toile pouvait durer plus de dix ans et les essais effectués attesteront les qualités de résistance annoncées par le fabricant. Quant au Dr Chang, de la Société Dupont de Nemours, il confirmera la qualité longue durée de ce matériel textile.

L'autre sujet d'inquiétude publique chronique concernait les structures de béton.

La R.I.O. aurait effectué un entretien correct, avec une maintenance surveillée par des dispositifs électroniques similaires à ceux des ponts. De surcroît, tous les ingénieurs québécois qui ont surveillé la mise en œuvre ont travaillé sérieusement. Au renfort de cette affirmation, il faut reconnaître que la préfabrication des mille cinq cents pièces a été mieux contrôlée qu'en France. Nous avions tout fait pour cela.

L'erreur, vous le savez comme moi, est d'avoir attendu dix ans pour finir le mât. Le sabotage de la précontrainte des dix mille tonnes de la face avant du mât en furent le prétexte: toutes les gaines écrasées rendaient impossible l'enfilage des câbles. Tous les calculs avaient été faits dans l'optique d'une construction sans interruption; celle-ci permettait une déformation progressive des coussins de néoprène en fonction du poids du matériau chargeant le porte-à-faux.

Un procès fut lancé contre moi, au lieu de l'être contre les ingénieurs québécois responsables et contre la R.I.O. qui contrôlait la construction. Le juge Gonthier ne prit nullement en compte cette attaque dirigée, une fois de plus, contre l'«étranger», le Français. Mais à ce jour, je sais que l'on a seulement traité la faiblesse de la structure par une finition en acier, erreur de conception que j'ai tenté d'empêcher sans être écouté.

Le néoprène lui-même, je vous en ai déjà parlé dans une autre lettre, et si souvent de vive voix, est un matériau d'une résistance à l'écartement quatre fois supérieure à celle du béton. C'était donc un faux problème. En conclusion, la résistance du Stade s'avère excellente.

Le juge avait relevé que les responsables de toutes les difficultés provenant du mât n'avaient jamais été poursuivis. C'était si simple de s'attaquer à Taillibert, l'homme d'ailleurs, sans contrat, et dont on avait utilisé tous les plans sans en respecter la rigueur.

Le seul reproche que je puisse vous faire, en dehors du fait que vous vous soyez absenté pour si longtemps, c'est celui de ne pas avoir obtenu un contrat entre moi et la Ville de Montréal. Quoi qu'elle ait pu faire ensuite, la R.I.O ne pourra cependant pas affecter la stabilité de l'ensemble. Le Stade se défend bien: il manifeste vite contre les mauvais traitements qu'on lui inflige. La toile s'est spectaculairement vengée des apprentis sorciers: nous n'étions pas en scène…

Chaque fois qu'un architecte démarre un projet, il a besoin de connaître les hommes et les femmes que son architecture va conditionner en les servant. À Montréal, c'était un élément essentiel.

Stades et piscines reçoivent deux types d'utilisateurs: le spectateur qui découvre un espace pendant un temps déterminé et le sportif qui, tout en donnant un spectacle, s'en sert pour améliorer ses performances.

L'architecte s'intéressera aux deux types d'usagers, analysera leurs besoins, en élaborera un programme, mais de façon encore idéale, en esquisse. Ce n'est qu'après ce travail d'analyse qu'une image émergera dans l'intériorisation des besoins, créant une étape esthétique de la réflexion. C'est un instant critique: une forme émerge, il la dessine, il cherche l'harmonie dans l'espace. Mais il reste à bâtir.

Il faut alors et d'abord se battre pour convaincre, faire accepter l'image et la projection avant de la construire. En somme, nous analysons, rêvons, agissons et alors, parfois, nous réussissons à construire.

Vous, je le sais, vous aviez eu de l'affection pour ce projet très vite, et peut-être plus que les créateurs. Vos ennemis étaient les miens — nous nous trouvions en face d'épiciers devant leur comptoir. Vous saviez combien une idée naissante est fragile, vulnérable aux critiques, aux objections des bons apôtres qui, sous prétexte que cela ne s'est jamais vu, prétendent que c'est impossible, que cela ne va pas tenir. Bref, que c'est trop cher.

Lettre soixante-quinze

Ensemble, sauf exceptions, nous avons vécu tout cela; peut-être même certains de vos collaborateurs avaient-ils appris le double langage pour ne pas trahir votre culture. Mais les hommes engagés pour saboter le projet, dès le 6 avril 1972, vous les connaissiez.

Je vous remercie de m'avoir signalé leur présence, ce qui m'a permis d'éviter bien des pièges.

Nous avons bâti avec vos idées, vos collaborateurs du Service des travaux publics. Mais nous savions que le relais qui vous fut imposé en 1975, cette R.I.O. présentée comme providentielle, nous apporterait beaucoup de déception, de vengeances, afin de réduire, au regard des électeurs, la «grande maîtresse» Montréal. D'autres seront jardiniers; le grand pionnier, en vous, était particulièrement désarmé devant la destruction organisée qui s'était montée contre vous. Vous et vous seul étiez l'architecte de Montréal.

Votre ville fut votre création et vous lui aviez fait don de votre personne.

Vous n'avez rien gardé pour vous, vous avez tout donné, puis vous êtes parti. Ce qui reste, ou restera, sera jalousement détruit par des hommes, mais je sais que là-haut, votre puissance sereine poursuivra cette voie imaginaire qui donna de vraies heures de magie à votre ville.

Vous aviez raison, on ne répond pas aux insultes. Dans ce procès de l'inculture ou de l'anti-culture (ce qui est encore pire!), que vous avez subi jusqu'à en être usé dans votre chair, j'ai pourtant remarqué un point positif: votre nom, Jean Drapeau, n'a jamais comporté de faute d'orthographe. Sûrement que tout Canadien français, comme tout homme de culture, sait ce que Drapeau veut dire...

Lettre soixante-quinze

Ce soir, je me sens bouleversé par des sentiments aussi forts que contrastés, balançant de la colère à l'admiration, de la déception à l'enthousiasme. Je me sens même tomber dans le pathos; quelque chose me déchire et me déchirera toujours dans l'injustice qui vous a été faite et se perpétue, vous mort. Pour m'en sentir partie prenante, c'est plutôt le soin de votre défense qui m'incite à la mienne. Comme si j'avais eu besoin de la distance de votre absence pour mesurer le scandale et y faire face.

Lettre soixante-seize

Vous étiez bien un grand créateur et saviez que seuls quelques-uns d'entre nous méritent cet attribut.

Cette malheureuse Commission Malouf n'a pas utilisé une seule fois ce mot en nous interrogeant. Serait-ce un manque de culture? Serait-ce un manque de sensibilité de ce juge? Il y aura sans doute, toujours, une différence entre les hommes: il y a ceux que l'on respecte et ceux que l'on oublie.

Le vocabulaire employé dans les conclusions de la Commission vous concernant ne relevait pas du glossaire juridique mais de celui des obsessions. D'autres chapitres que le vôtre eurent droit aux termes de malversations, manœuvres frauduleuses et profits excessifs. Pour vous, c'était plus simple et nettement moins riche; cela se limitait à «inédit» et «mégalomanie».

Il y a l'art et des arts de faire, me disiez-vous; toutes les professions, que ce soit celle d'homme de loi, de juge, d'architecte, impliquent une manière de faire, donc un «art»; droit et justice seraient donc frère et sœur de l'architecture.

S'il fallait juger l'art, il fallait y procéder avec un langage de vérité et de recherche. Dans cette enquête ordonnée par le Premier ministre, l'art qui contribuait à développer ce dossier ne renfermait en soi-même aucun potentiel d'avenir – il n'était que l'enfant d'une époque qui ne pouvait engendrer le futur. Cette Commission, jugeant de l'art, fut une parodie et, jugeant des finances, un très mauvais vaudeville avec beaucoup trop de placards. C'était de l'art castré, de l'imitation.

Lettre soixante-seize

Qu'ont-ils fait, ces hommes, dans leurs habits de sages mal coupés? Ils ne connaissaient rien au sport, rien à la jeunesse, rien au peuple; seulement et pratiquement la diffamation au moyen de conclusions sans fondements.

C'était en 1977. Nous venions de terminer une longue conservation téléphonique. J'avais pris grand plaisir à notre entretien. Vous étiez devenu mon frère; la porte des confidences s'était ouverte sur la politique canadienne et française.

Monsieur Raymond Barre, le maire de Lyon, venu vous voir à votre bureau de la rue Sherbrooke, vous avait exposé le triste état de notre pays: l'ère Mitterrand fut celle des grands chantiers, mais aussi celle des grandes erreurs financières.

Le Crédit Lyonnais, banque de l'État, avait distribué à des groupes douteux plus de cent milliards de francs. Vous n'êtes jamais parvenus à une telle démesure dans votre Canada. Oublions nos innombrables erreurs françaises.

Je repense aux suites de l'Exposition; à votre colère quand vous aviez appris que le pavillon de la France devenait un casino. Ces îles avaient une vocation de loisirs et de culture. Le lieu muséographique que vous aviez tant souhaité a disparu. Il reste la carcasse de cette Biosphère qui marque la présence de l'Amérique... une future étoile sur le drapeau américain? Jamais vous n'avez même évoqué cela!

Eh bien! Aujourd'hui, il ne reste plus rien; on y mettra un jour votre statue, bien seule au milieu du fleuve.

Lettre soixante-dix-huit

Vous aviez dit: «Pourquoi Montréal est-elle victime du terrorisme et de l'anarchie? C'est très simple, Montréal doit payer le prix qu'il faut pour être une grande ville.»

«Nous voulons montrer que nous pouvons servir la grandeur des Jeux, de l'idéal olympique, tout autant qu'il pourra nous servir.»

«Nous étudierons tous les moyens à prendre pour assurer à ces îles, que les Montréalais ont édifiées à leur frais, la plénitude de leur destin de cité internationale où, de partout et sans cesse, les pèlerins de la terre des hommes pourront venir se rencontrer et constater la volonté de l'humanité d'enrichir la civilisation d'aujourd'hui pour le bénéfice de l'humanité de demain.»

Le 20 avril 1967, jour d'ouverture de l'Exposition, vous aviez prononcé des paroles remarquables; mais ces nobles projets, le temps et des successeurs plus aptes à s'intéresser à l'enrichissement qu'à la civilisation se sont acharnés à les détruire.

Il n'y aura rien de culturel; je comprends votre colère quand vous m'aviez téléphoné et votre tristesse, quand les Jeux de hasard avaient pris la place du pavillon de la France.

Les tapis verts remplacent les livres et toutes les activités culturelles. Aujourd'hui, si les visiteurs des îles ont soif, ce n'est pas vraiment de culture.

Las Vegas aura peut-être une succursale, mais ni Rome, ni Paris, ni Venise: triste nouvelle pour vous. Vos ennemis du Parti libéral du Québec mettent les bouchées doubles: vous aurez enfin votre station de métro. Monsieur Raymond

Garnaud va offrir une statue de Jean Drapeau. Ils vivent enfin ce dont vous les avez privés de votre vivant: un petit Drapeau à l'extérieur de la ville.

Les temps n'ont pas changé! Ne disiez-vous pas: «Le Stade olympique a été conçu et construit de façon à démontrer que ce qui est impossible partout ailleurs, est possible à Montréal en 1974.» C'est toujours vrai en 2000, mais pas vraiment dans le même sens.

Vous aviez dit plus tard: «Quand la fumée sera dissipée et que la poussière aura disparu, quand les gens réfléchiront sérieusement, ils diront alors que j'avais raison.»

Enfin, la tristesse ne s'est plus dissoute et vous avez murmuré:

«On ne se souviendra pas de moi quand je quitterai la mairie; ce ne sera pas long avant que mon nom soit complètement oublié.»

Lettre soixante-dix-neuf

Le 6 avril 1980, le Rapport Malouf était publié. Ses absences de conclusions réelles accusaient implicitement, et surtout sans le dire, deux responsables des dépassements budgétaires et du déficit des Jeux Olympiques.

Ce rapport était biaisé: le jour même, M. René Lévesque, dont l'intégrité ne peut être mise en cause, s'étonnait que M. Robert Bourassa soit blanchi.

Il déposera à son tour un rapport de onze pages, constituant un dossier à l'Assemblée nationale dont une partie fut publiée, mettant en cause la qualité du Rapport Malouf.

Chaque année, le jour de la Saint-Jean, le délégué du Québec en France donne une réception à laquelle assistent tous les amis du Québec et je m'y rends régulièrement. Cette même année donc, j'échangeais des propos avec Alain Peyrefitte quand je vis apparaître Robert Bourassa qui résidait alors en Belgique. Je le rejoignis près du buffet et engageai la conversation avec lui.

Il me dit, avec un large sourire: «Eh bien! Je suis blanchi et je ne serai pas inquiété. Les responsables, ce sont Jean Drapeau et vous.» Robert Bourassa était mieux informé que moi. On peut blanchir de la neige, pas ce qui est aussi blanc qu'elle. J'ai apprécié ce registre de vocabulaire, révélateur d'une culture si profonde que j'en ignore et les bas-fonds et l'usage. J'appréciai aussi le fond, bien sûr.

Après cette réception, je traversai l'avenue Foch et, dès qu'arrivé à mon bureau, j'engageai une conversation téléphonique avec vous. Vous étiez furieux. Vous me rapportiez les propos de M. René Lévesque, tout aussi furieux, car il s'attendait évidemment à un minimum de vérité, forcément dévalorisante pour l'équipe Bourassa.

Cette nouvelle pourtant fit le tour du monde: Taillibert et Jean Drapeau avaient tous deux et ensemble ruiné la ville de Montréal. Le but du Parti libéral était atteint. C'était la fin du «film Drapeau».

Tenue en pleine élection municipale, cette Commission fut un moyen d'influencer l'électorat pendant que se déroulait la campagne.

Vous aviez protesté. M. R. Bourassa ne protesta pas. Vous étiez seul et je me rappelle cette période comme si elle était actuelle.

Pourtant, l'électorat vous avait réélu avec une majorité de cinquante-deux conseillers sur cinquante-quatre.

La vraie vérité, le juste verdict venaient des urnes: jamais jusque-là aucune des villes qui avaient tenu les Jeux, me disait Claude Charron, n'avait réélu le maire en fonction pendant leur déroulement.

C'est un propos que j'ai entendu cent fois dans la bouche du ministre Pierre Mazeau.

À défaut de la Commission Malouf, les citoyens manifestaient confiance et gratitude.

M. Lévesque insista plus tard, dans ses déclarations aux journalistes, sur le fait que cette Commission n'avait relevé aucune «preuve écrasante».

M. Claude Charron, votre adversaire pendant les Jeux, mit ensuite son point d'honneur à terminer les constructions. Son ami Robert Nelson et lui-même vinrent dans nos bureaux à Paris pour faire avancer et respecter ce dossier.

Lettre soixante-dix-neuf

Au moment de votre décès, de nombreuses déclarations de sympathie prononcées à votre égard contredirent nombre des critiques passées.

Le plus grand remerciement, c'est Claude Charron qui l'émit: évoquant l'Exposition universelle, il affirma que ce fut la plus importante révélation culturelle de sa vie.

Toutes ces réactions sur l'affaire Malouf m'avaient permis de m'expliquer avec Alain Peyrefitte sur l'important déficit: je me trouvais accusé, alors que je n'avais aucun contrat.

Ce n'est que quelques mois plus tard que le juge Gonthier fit établir, grâce à François Mercier, un règlement peu honorable de mes honoraires, malgré ses conclusions démontant totalement la fiction calomniatrice développée contre moi.

Le climat de désinformation qui s'était créé, pendant et après ces Jeux, avait servi à dénigrer la valeur de ces équipements sportifs aux yeux de la jeunesse.

Quant à vous, mon cher Drapeau, vous ne vouliez aucun mal à ces politiciens sans scrupules qui avaient assombri votre vieillesse et ruiné votre santé à force de stress.

Vous me disiez parfois, avec mélancolie: «Je vous le dis: la politique est un grand marécage et il faut éviter d'être enseveli sous la boue.» Sans doute fut-ce la raison de votre inaltérable silence.

Vous disiez vrai: il fut bien difficile de traverser cet espace où rien ne poussait, hormis le mensonge.

Lettre quatre-vingt

Je ne suis pas près d'en finir avec vous et me sens intarissable au sujet de ces Jeux Olympiques et de leurs constructions surtout.

Plusieurs amis viennent de m'apprendre que le Stade était en mauvais état et mal construit. Allant souvent au Québec, j'entends beaucoup de rumeurs sur le mât et sur le toit.

Je pense que tout ce qui a été fait par les équipes sérieuses qui avaient bien travaillé ne peut être mis en cause. Seuls le mât, les jardins et les fontaines ont été sabotés volontairement, de même que les parkings.

«Jamais, me disiez-vous, je n'aurais pensé possible d'ouvrir les Jeux à la date avec le Dr Goldbloom... C'est donc André Desjardins qui a permis cette réalisation, en mobilisant ses troupes pour offrir au monde cette magnifique fête... Quelle ironie!»

Vous vous étiez beaucoup soucié de la sécurité de la Reine pendant les Jeux, vu les problèmes québécois, surtout après le désastre de Munich. Les remerciements de vos concitoyens vous avaient rasséréné et votre succès électoral beaucoup touché, comme la nouvelle que les ouvriers québécois étaient conquis par le sport.

L'ère du Vélodrome est maintenant révolue à Montréal. Nous sommes-nous battus pour rien? Pas de basket, pas de volley-ball, pas de tennis. Ainsi en décida votre ex-ami Robert Bourassa, un homme qui voulait briller.

Vous me l'aviez dit bien des fois: «Tous ces destructeurs de ma ville n'ont jamais compris qu'il y avait une jeunesse qui voulait se battre au niveau mondial.»

Lettre quatre-vingt

Tous les drames techniques survenus pendant la construction n'étaient que faits de guerre, comme il arrive toujours devant une action trop brillante.

Une civilisation porte en elle, et dans le temps, la création, non la destruction.

Paris.

Le tribunal du Temps se réveille quelquefois, même au Canada, même si certains juges n'ont pas suivi les cours des meilleures facultés.

Dans l'un de ses articles, Michel C. Auger, du *Journal de Montréal*, parle de «La guerre des motards». André Desjardins est l'un des rares criminels québécois à avoir côtoyé et aussi fait trembler fonctionnaires, politiciens, policiers et syndicalistes. Ce journaliste révèle que, dès son enfance, André Desjardins était acoquiné avec la famille et les amis de Frank Cotroni. L'article reprend son curriculum vitæ que vous connaissiez parfaitement. Plusieurs entretiens sérieux parus dans le journal *Le Devoir* ne peuvent mettre en doute ces informations.

Un ministre du Travail du gouvernement Bourassa, Jean Cournoyer, avait essayé de régler les problèmes syndicaux avant l'arrivée du pédiatre et ministre Victor Goldbloom, dont la présence ne fut que le parapluie de Claude Rouleau, qui ne fut que le paratonnerre de Bernard Lamarre, qui ne fut que le tremplin en dollars de certaines carrières.

Ce que je lis dans cet article me surprend pourtant. Nous avions en effet, avec votre ingénieur en chef, essayé de trouver une solution aux grèves et ralentissements, lors d'un dîner que vous aviez organisé avec l'illustre et puissant Sieur Desjardins; comme l'a prouvé la Commission Cliche, une concurrence féroce opposait sa Fédération des travailleurs du Québec aux autres syndicats C.S.N.

Malgré votre longue expérience de ces dossiers depuis l'affaire Pax Plante (pas une espèce botanique enfin pacifique

Lettre quatre-vingt-un

du Biodôme, mais votre ancien allié contre la corruption de la ville au temps de Duplessis), vous n'aviez pas réussi, par le dialogue de qualité dans lequel vous étiez passé maître, à convaincre «Dédé», alias André Desjardins. Les Jeux Olympiques étaient très loin de ses préoccupations à cette époque. Il défendait ses ouvriers pour les placer sur un pied d'égalité avec toutes les entreprises. Cet homme brillant, intelligent, s'était montré intraitable; est-ce que d'invisibles «ficelles» agissaient?

Ce que je sais aujourd'hui, c'est que le maire provisoire placé par le ministre Robert Bourassa, Victor Golbloom, ne réussit que grâce à la puissance de cet homme aujourd'hui disparu. Il fit travailler ses troupes pour le grand résultat des Jeux Olympiques, en meneur d'hommes efficace et défenseur de ses travailleurs de la Fédération du Québec. «On ne fait jamais boire un âne qui n'a pas soif.» Le vieux dicton nous donne, vingt ans après, la possibilité de trouver la vérité. Les Jeux furent sauvés par lui comme vous le prévoyiez.

Cette analyse que le journaliste n'a pas faite, est pourtant facile à établir. Toute l'équipe Robert Bourassa tremblait. Que de choses vous saviez ! Mais vous avez toujours préféré le silence pour ne pas troubler le public.

Gilles Blanchard, du quotidien *La Presse*, était probablement un des seuls journalistes à défendre la cause olympique; il me téléphonait presque chaque semaine.

Un jour, il me posa une question délicate dont la réponse vous appartenait: «Pourquoi M. Drapeau ne dit-il pas la vérité sur ces Jeux?»

Je vous en avais fait part à l'époque, tout en étant convaincu, comme vous, qu'il n'y avait aucune réponse à faire à Malouf. Celui-ci montait un dossier préfabriqué, destiné à vous faire glisser sur la patinoire politique et à vous empêcher de vous relever.

La réponse, encore une fois, vint par l'ovation que vous fit le public de Montréal le jour de l'ouverture des Jeux. Les autres invités de marque reçurent un salut de politesse.

Voilà, à mon avis, ce que vous auriez pu dire à Gilles Blanchard.

À bientôt.

Lettre quatre-vingt-trois

Dubaï.

Je retrouve cette petite lettre que je vous écrivis un jour de Dubaï, au temps où notre amitié pouvait se dire au téléphone… Vous étiez là.

Aujourd'hui, je suis dans une ville extraordinaire dont l'urbanisme a explosé, comme je vous l'ai dit au téléphone. Des bateaux chargés en partance pour Bombay, l'Iran, une mer bleue, et des disdaches blanches, les femmes en noir. Quel paysage, quel monde! Ce n'est pas l'Amérique! La ville va bientôt atteindre près de deux millions d'habitants. Plus de quatre cents grues sont en l'air, des immeubles de vingt à cent étages surgissent de terre.

Tout cela se passe sans mandataire coordonnateur, sans gérant de travaux!

Et surtout, c'est un émirat qui travaille sans pétrole. J'évoque votre esprit d'entreprise; bientôt un aéroport international, ayant le même trafic qu'à Hong-kong, sera mis en service. C'est ici que se passe la plus grande exposition de l'aviation mondiale après celle du Bourget et de Farnborough… Qu'en penseriez-vous? Mais il n'y a qu'un gouvernement qui gère. Le Fédéral existe mais discrètement. À bientôt.

Je sais que pour vous l'amitié était une religion. Après le départ précipité de Robert Nelson qui, avec son ami le ministre Charron, auraient dû finir le stade d'après le concept original; après de nombreuses commissions et le résultat positif qui s'ensuivit, M. le Directeur de l'architecture Marsan devenait votre «associé» dans ce parcours de la finition.

Puis apparut M. Lucien Saulnier, votre aimable collaborateur, qui essayait depuis si longtemps de passer du strapontin de la Ville au fauteuil de président.

Il ne fut plus votre ami, malgré nos essais pour lui faire comprendre la vérité; je vous l'assure, même s'il est près de vous en ce moment: il n'a cherché qu'à désorganiser.

Nous nous trouvions avec lui devant un nouveau mandataire, spécialiste peureux de la neige et encore plus du toit. Sa francophilie était douteuse. Que cherchait-il, votre ami? Je vous conseillais, vu son intégrité, d'exiger de lui une réponse.

Je me rappelle fort bien votre coup de téléphone concernant un entretien amical avec Claude Charron, qui vous avait comblé de joie. Mais Lucien Saulnier que toute la ville considérait comme votre meilleur conseiller, en avait décidé autrement. Après de bons débuts, le virus du fonctionnaire reprit le dessus.

Vous m'aviez un jour communiqué cette nouvelle: «M. Saulnier fera le nécessaire; il a créé une commission en s'appuyant sur un technicien, ami d'Hydro-Québec, Laurel

Lettre quatre-vingt-quatre

Hamel.» Ma réponse avait été immédiate: «C'est l'enterrement. Votre ami ne veut pas finir le Stade.»

Cette commission, constituée d'experts étrangers et d'un Français, nous fit établir des dossiers techniques justifiant nos calculs. Combien d'heures inutiles passées à expliquer des problèmes simples et réalisables! Les rapports de cette commission, défavorables, ne correspondaient jamais à la réalité.

Je sais combien vous étiez triste, car vous n'aviez jamais pensé qu'un ami vous trahirait. Cette commission lui servait à enterrer le projet; il se servait de médiocres ingénieurs pour semer le doute et empêcher toute création.

La saga continuera, pleine de «ficelles», bien ficelée. Monsieur Propre, alias Lucien Saulnier, viendra jusqu'à témoigner devant le juge Gonthier avec des dossiers que l'expert français André Mogaray balayera; le juge lui-même renvoya ces études aux oubliettes.

Quel spectacle que la vie et les comportements étranges des hommes quand ils deviennent «chefs.» Je sais que vous en aviez une expérience équivalant à un traité. À bientôt.

Genève.

Je suis en visite au chantier des Laboratoires Fabre. Je m'isole dans un bureau et me remémore les problèmes majeurs de ma désignation d'architecte pour le Complexe olympique de Montréal. Après de longs entretiens téléphoniques, cela se décida le 24 avril 1973, deux ans après avoir établi le programme.

Vous aviez, le 6 avril 1972 devant trois mille journalistes venus du monde entier, projeté un film qui devint réalité. Ce jour-là, nous avions rencontré, à la sortie de la salle des sports, Pierre Charbonneau, Robert Bourassa qui connaissait le projet et M. René Lévesque, qui vous félicitèrent tous trois. Je n'oublierai jamais cette rencontre, prélude à la guerre qui allait commencer, car la presse alluma le feu, vous rappelez-vous? Ce journaliste, entre autres, Guy Pinard, qui deviendrait recherchiste à la Commission Malouf, commença à régler ses comptes.

Le temps a passé; les milliards de spectateurs qui ont suivi les Jeux vous ont découvert et compris.

C'est encore ici, à Genève, que Pierre Charbonneau obtint l'accord pour un Vélodrome plus petit, mais couvert.

Je me souviens: nous étions à l'Hôtel Intercontinental avec le président Rodoni de l'Union cycliste internationale.

Si ces journées furent difficiles, elles affermirent nos intuitions et nous permirent de finir une étude technique précise du Vélodrome, l'un des bâtiments les plus complexes, et que votre équipe des Travaux publics réalisa avec brio.

Lettre quatre-vingt-cinq

Ce fut pour vous un moment de fierté. Je me souviens de la visite du chantier olympique par le Gouverneur général Léger, dont vous fûtes le guide pour lui en expliquer les techniques qui vous passionnaient.

Ce soir-là, je quittais Genève avec un Pierre Charbonneau tout heureux: il avait fait fléchir les exigences d'une puissante fédération, et je projetais d'aller vous voir rapidement à Montréal. J'aime ces souvenirs. Je crois qu'ils vous étaient chers, à vous aussi.

Je vous regrette.

Casablanca.

Je sais que vos archives ne vous ont pas accompagné: cinq cents boîtes, cela est partout énorme. Pesant pour le monde des anges!

Un jour où je me trouvais dans votre bureau, accompagné par ma fille, le Dr Sophie Taillibert, vous nous accueillîtes avec une joie inhabituelle. Vous nous aviez alors raconté l'histoire de ce journaliste plein de vindicte, qui fut votre âme damnée, et nous avez montré deux lettres: celle de ce journaliste, Monsieur Guy Pinard, qui voulait obtenir la place de directeur de la communication au C.O.J.O. et votre réponse. Vous aviez déjà désigné M. Louis Chantigny, votre fidèle collaborateur. Vous aviez donc rédigé une lettre de remerciement et de refus: votre parole était engagée. Vous étiez heureux de nous montrer ces documents qui étaient, en partie, à la base de tous mes troubles concernant la publicité mondiale faite par la presse pendant quatre ans. Monsieur Pinard réussira aussi, comme par hasard et malgré une méconnaissance totale des domaines techniques, à être recherchiste pour la Commission Malouf. La médiocrité a souvent de redoutables tours de force en réserve; il ne faut jamais la sous-estimer. À bientôt.

Lettre quatre-vingt-sept

Saint-Sauveur.

Cher Drapeau,

Je viens d'apprendre que le caricaturiste Girerd avait trouvé en vous le personnage nécessaire à son inspiration quotidienne dans *La Presse*.

Quelles caricatures admirables il a produites! J'espère qu'il vous en avait offert un exemplaire relié. Avec Girerd, plus besoin d'écrire: il traduit vos pensées, vos réponses. Il devient, selon moi, un collaborateur irremplaçable.

Quant à sa baignoire, il avait compris que des utilisateurs en enlèveraient la bonde, qu'elle ne serait jamais pleine et que l'on pourrait se servir à volonté de l'eau prodigue qui s'y déversait.

Cette baignoire, vous étiez bien placé pour le savoir, a recueilli plus de deux milliards de dollars; elle est pourtant toujours vide et la fumée du tabac coule par ses robinets sous forme de taxe volontaire qui, depuis 1976, a produit par an près de cent milliards de dollars.

Votre impôt volontaire a beaucoup servi; notamment à créer une dette immuable de quatre cents millions. Curieux, pour une recette qui rentre de ne se traduire qu'en sortie!

Quelle invention, cette baignoire, et quelle bonne histoire! Imaginez ce qu'en ferait un journaliste sérieux...

Je trouve, par contre, que le pouvoir à ficelles n'utilise pas le mot déficit sur les postes les plus sensibles. Il l'oublie pour l'aéroport de Mirabel, devenu inutilisable parce qu'on n'a pas prévu ses liaisons ferroviaires et routières avec Dorval. On prend pourtant cent fois moins de risques en atterrissant à Mirabel plutôt qu'à Dorval.

Ce qui me trouble aussi beaucoup, c'est qu'on engage des centaines de millions de dollars pour refaire un métropolitain qui n'a jamais eu besoin d'acier pour éviter son autodestruction.

Nous sommes loin du Parc olympique; je me demande bien ce que vous en penseriez, vous, l'ancien magistrat gestionnaire d'une ville? Pas de Drapeau, pas de Taillibert dans ces bavures...

Lettre quatre-vingt-huit

Je viens de trouver, dans mes archives, une photo de vous. Quel sourire! Que vous êtes heureux! Elle illustre un article titrant: «Il est heureux, ce Jean Drapeau» dans le journal *La Presse* qui vous faisait l'honneur de sa première page.

«(...) Emporté par la foule, Jean Drapeau connaît présentement des moments de satisfaction intense, qu'il savoure d'autant plus que l'aventure olympique lui a fait vivre de violentes secousses.» Votre foi en la survie de l'olympisme, en dépit de l'argent et de la politique, vous donnait un optimisme, une assurance à toute épreuve.

Vous aviez raison, l'on ne parlait plus de déficit dans le magnifique enthousiasme de la fête; ce maudit déficit que vos amis avaient eu un malin plaisir à faire circuler dans le monde entier: Montréal ruiné.

La compétition qui se livre aujourd'hui entre dix villes pour l'obtention des Jeux confirme toutes ces intuitions dont vous me parliez tant: les Jeux ne mourront jamais.

Bonsoir.

Ce Vélodrome, je passais devant et je brûle de vous en parler. Vous me questionniez très souvent sur l'architecture: votre curiosité fut toujours satisfaite. Je me souviens que vous restiez de longues heures à écouter et à regarder l'évolution des études du Stade; que vous aviez encouragé vos équipes qui collaboraient avec cœur au défi d'un des bâtiments les plus spécifiques du monde.

Vous avez beaucoup payé de votre personne pour cette réalisation et, heureusement, votre engagement en avait encouragé d'autres autour de vous, aussi déterminés que la hargne environnante et à l'aune de son assiduité.

Cette réussite conforte vos actions passées; nos amis les Anglais, au Congrès de la Précontrainte, ont considéré les équipements olympiques de Montréal comme la plus belle réussite du siècle. Jamais cet ouvrage ne fut contesté sérieusement; ceux qui le firent illustrèrent le proverbe: «La critique est aisée mais l'art est difficile.»

Cher Drapeau,

Aujourd'hui, je suis sur votre continent; je donne une conférence sur l'architecture à l'Université de la Nouvelle-Orléans. Hier, je suis allé au Superdôme, un stade énorme ne pouvant accueillir que le seul football américain.

En regardant ce bâtiment dans la ville, j'ai cherché longtemps les accès et les parkings. Quelle différence avec le Parc olympique où métro et parkings sont sur place. Quelles facilités d'accès!

En fait, vos amis américains sont rationnels, adeptes du fonctionnalisme, mais on ne note aucune personnalité dans leurs stades couverts. J'ai longuement parlé avec le maire qui m'a nommé citoyen d'honneur de sa ville. Le Sénat de Bâton Rouge m'a également, pour mes activités de relations culturelles dans le cadre de l'Institut de France, décerné le titre honorifique de sénateur honoraire. J'ai trouvé tout cela très généreux car je n'ai rien fait ici, sauf donner quelques conseils. Cette ancienne possession de la France ne me considère pas en étranger, encore moins en provocateur. Toute la francophonie ne suit pas les mêmes comportements, j'en suis bien heureux! Les problèmes de Montréal sont néanmoins bien connus, de même que votre réussite des Jeux Olympiques. Les considérations financières amplifiées pour raisons politiques ne les affectent pas; encore moins la Commission Malouf... Quant au maire de la Nouvelle-Orléans qui est en fin de mandat, j'ai perçu dans sa générosité à votre égard, qu'il vous considérait comme un homme loyal, grand défenseur de l'olympisme.

Soyez bien convaincu, là où vous êtes, que vous n'avez pas fait d'erreur, mais que les mandats que vous aviez confiés aux spécialistes n'ont pas été honorés à leur juste valeur. Ici, pour les administrateurs de cette province, les grèves, sabotages et vols sont reconnus comme des épiphénomènes dont la responsabilité incombe plus aux gouvernements qu'au maire responsable des Jeux Olympiques.

Je vous dis à demain.

Lettre quatre-vingt-onze

Je suis toujours à la Nouvelle-Orléans où je poursuis, à la demande du recteur, des négociations pour l'université d'État afin d'augmenter le nombre des laboratoires de recherche.

Je viens de réaliser, pour le groupe pharmaceutique P. Fabre, un important laboratoire de biotechnologie à Genève, laboratoire ultra-spécialisé en recherche. Après avoir réalisé en France cette installation, je relève que malgré sa réelle complexité, il n'y a eu ni mandataire, ni gérant car la clientèle privée ne subit jamais les intrigues du pouvoir. Curieusement, le prix de la réalisation a correspondu aux prévisions. Les responsables que je rencontre se sont montrés très impressionnés par les universités réalisées en France et à l'étranger.

Je réalise que je serai long à guérir de la tristesse et du dégoût qu'a provoqués en moi cette guerre bien préparée, livrée contre l'«étranger» et vous-même. Les mêmes acteurs sont maintenant en Algérie pour construire; ils y sont, à leur tour, de véritables étrangers. Je ne leur souhaite même pas ce qui m'est arrivé.

À bientôt.

Je me souviens de la venue de la Reine. Je sais que vous souhaitiez la présence du Gouverneur général et non celle d'Élisabeth II.

À votre déception s'ajoutait de la peur. Là encore, le petit Bourassa vous avait joué un tour pour obtenir le vote des anglophones et faire voter sa loi vingt-deux. Ce n'était ni Rousseau, ni Trudeau, qui n'étaient pourtant pas vos meilleurs amis, qui avaient demandé à la Reine de venir, mais bien lui. En politique, il faut beaucoup subir.

Vous ne vouliez pas risquer de voir la Reine assassinée. Tout fut calme pour l'ouverture et ce sont des larmes de joie qui coulèrent sur vos joues devant la foule vous remerciant en prenant le drapeau olympique. Quelle cérémonie! La Reine comme vos chefs politiques en étaient restés muets. Quelle victoire devant tous vos ennemis présents, réduits à admirer le spectacle.

Ce fut une journée comme jamais je n'en avais connue dans ma vie, même si la matinée en avait pourtant mal auguré avec les questions de la Reine et du Prince sur mon lieu de résidence. Je n'ai rien oublié de ces moments solennels. Merci encore; mon épouse et moi vous serons à jamais reconnaissants d'avoir vécu cette magnifique soirée.

Une dernière confidence me brûle les lèvres, que je vous livre enfin, toute modestie ravalée (c'est que les plaisirs furent comptés dans ces tribulations, et que l'on se souvient avec d'autant plus d'émotion des moments chaleureux ou agréables…). J'ai signé ce jour-là beaucoup d'autographes et un de vos amis, un ancien ministre de M. Daniel Johnson,

Lettre quatre-vingt-douze

me proposa un billet d'entrée à signer en me disant: «Vous avez laissé un monument qui est à mes yeux plus important que «Vive le Québec libre». Je l'ai remercié.

Est-ce vrai, Jean Drapeau, que nous avons fait un monument? Le temps nous répondra.

Bonsoir, je reviendrai demain car le téléphone sonne.

Nouvelle-Orléans.

Je continue à penser à la guerre que vous a livrée le pouvoir, mais ce matin, au réveil, je pensais à Paul Desrochers, cet homme brillant, qui fut votre partenaire dans la mise en place du C.O.J.O., et soutien permanent de Robert Bourassa.

La Commission Malouf vous a étouffé, ou plutôt a tenté de le faire; mais vous êtes-vous demandé pourquoi certains acteurs furent interrogés à huis clos et vous en pleine lumière? En somme, c'était une Commission parapluie qui soulevait les problèmes mais, malgré sa mission, ne cherchait aucunement à récupérer les sommes disparues. Bourassa, Rouleau, Desrochers, n'avaient rien à craindre.

Monsieur Lévesque, malgré sa grande honnêteté, n'avait pas vu venir le piège…

Grandeurs et misères de la vie politicienne! J'ai quand même une anecdote. J'avais les meilleures relations avec Paul Desrochers: dans la semaine qui suivit la fin des Jeux, il m'invita seul dans un restaurant du boulevard anciennement Dorchester et rebaptisé René-Lévesque. Il me fit d'abord parler puis, avec intelligence, me confia que jamais il n'aurait pensé être trahi par des amis. Je vois encore cet homme qui, de bonne guerre, m'avoua sa déception.

Le saviez-vous? J'avais gardé ce secret car il vous respectait plus que tout autre homme politique. Ce jour-là, il me confia aussi: «Le grand Montréal, c'est Jean Drapeau. C'est la véritable image du Québec.» À plus tard.

Lettre quatre-vingt-quatorze

Pékin.

Je venais de déjeuner au Musée d'art moderne de Pékin. Un peintre très proche des politiques avait organisé, dans sa salle à manger privée, une rencontre pour parler des Jeux. Il y avait là le représentant du sport, un ministre de l'Économie et un ami français ingénieur chimiste; nous étions six personnes. C'était juste six ans avant la désignation de Sydney.

Je sais combien votre souhait était que ce grand pays soit le responsable de cette nouvelle olympiade de l'an 2000.

Vous connaissiez ce type d'élection: la répartition secrète et, comme il arrive souvent, des votes téléguidés.

L'Amérique toute-puissante a tous les moyens d'intervenir et de faire basculer le monde anglo-saxon dans une direction privilégiée. Ce fut Sydney à une voix près. Nos amis chinois, lors du vote à Monaco, furent déçus; vous aussi, car je connaissais votre amitié pour ce peuple.

Le représentant des sports se lança dans l'inventaire des erreurs de Montréal, tout en insistant sur la grande qualité des installations.

J'ai dû répondre avec vigueur pour devenir votre avocat dans ce déjeuner animé où le problème des vedettes de Taiwan fut aussi jeté dans le débat.

Pourquoi vous dire cela ce soir, maintenant que vous êtes loin de nous? C'est que j'ignore si vous soupçonniez jusqu'où les diffamations avaient pu porter le venin de leurs mensonges.

Je pense toujours que votre silence a été particulièrement dangereux dans cette bataille. Je sais combien de fois vous m'aviez répété qu'il n'y avait pas de mauvaise publicité, à la seule condition que l'orthographe de votre nom soit respectée! C'était du cynisme de candide, de la misanthropie de philanthrope, de la manœuvre d'innocent.

Aviez-vous oublié les propos de Voltaire sur votre pays? «Quelques arpents de neige» et «Mentez, mentez toujours; il en restera quelque chose.»

Ma lettre est peut-être trop lourde de reproches; je vous ressens encore si proche de moi que je m'offre le luxe d'une querelle avec l'au-delà! Pensiez-vous que l'amitié puisse être querelleuse au point d'apostropher les nues? Bonsoir et à demain. J'aurai peut-être des pensées moins douloureuses.

Lettre quatre-vingt-quinze

Je me souviens qu'après les conclusions du juge Malouf, votre désir était de répondre. Vous ne l'aviez pas fait, faute de temps. Vous m'aviez souvent dit: «Laissons cet homme et son équipe dans l'oubli. Le temps les défera mieux que nous-mêmes.»

Vous n'aviez pas vous-même, cher Drapeau, quitté ce monde. L'histoire est puissante et n'oublie jamais les hommes forts, même s'ils le payèrent cher. La population, seule force politique capable de juger les hommes, a reconnu votre belle et grande volonté.

J'ai eu dernièrement au téléphone maître Jacques Dagenais qui est devenu Procureur de la Couronne; il m'a confirmé qu'il avait reçu l'ordre du juge Malouf de ne pas me poser de questions pendant ma déposition volontaire.

Amusant? Moi qui venais devant ce tribunal pour dire la vérité sur cette olympiade telle que je l'avais vécue. M. René Lévesque avait été le seul politique à dire haut et fort que les conclusions étaient loin d'être satisfaisantes et que les vrais coupables n'étaient pas cités.

Tout cela est risible. Soyez heureux loin de ce mauvais climat. Ah! La politique...

En 1970, année où vous aviez présenté à Amsterdam la candidature de Montréal pour les J.O. de 1976, je n'avais pas encore eu la chance de vous rencontrer.

Je ne suis ni un politique, ni un historien, mais l'aventure des Jeux de 1976 que j'allais vivre avec vous, avait une odeur de combat permanent. Vous le saviez et le regrettiez souvent. «Ces Jeux, nous les avons faits vingt ans trop tôt. Mais il y a une jeunesse, et c'est à elle seule que je veux transmettre ce message que le baron de Coubertin a laissé au monde entier avant d'être oublié par la France.»

L'humanité de votre pensée est toute entière présente dans ce message. Je me suis permis, devant la Commission Malouf, d'accompagner mes conclusions d'une seule critique qui fut mal analysée, mais que la population a bien fixée dans sa mémoire. On a dit de vous que vous étiez un «mégalomane, un utopiste, un futuriste»: trop d'adjectifs ne peuvent définir un homme. Ce que je pourrais, moi, dire de vous est bien différent.

Je dirais que le calme n'abolit pas l'intensité de la passion. Je ne vous ai jamais entendu rire aux éclats, mais on savait très bien quand vous étiez joyeux. Votre visage et vos mains le disaient. C'était cette chaleur que l'on recevait de vous.

Ne nous étonnons pas qu'une destinée comme la vôtre ait pu connaître des moments douloureux et, qui sait, des déceptions que vous gardiez pour vous. Nombre de ces déceptions furent causées par l'environnement que vous aviez créé. Vous connaissiez les faiblesses humaines, mais restiez silencieux et discret. De nombreux chefs d'État vous

Lettre quatre-vingt-seize

connaissaient et parlaient de vous avec amitié et grand respect. La fidélité des nombreuses personnes qui vous étaient dévouées vous incitait à vouloir faire toujours mieux pour les satisfaire.

Je me suis souvent demandé si ce désir de perfection en vous, que vous ne parveniez pas toujours à réaliser, ne vous était pas une source de profonde frustration.

Vous ne recherchiez pas les honneurs, vous en tenant à distance, et saviez capter l'hypocrisie des messages, analysant immédiatement la sincérité de vos interlocuteurs. Par ailleurs, on avait l'impression que vous vous concentriez toujours avant l'effort.

En vous rendant tous les matins sur le site olympique, votre joie était visible quand vous vous mêliez aux ouvriers.

Toutes ces lettres que je vous écris depuis quelques mois, il me semble que vous y avez répondu à maintes reprises et de façon anticipée. Vous m'aviez dit ne pas avoir une très grande estime pour certains responsables parmi les monteurs de «Meccano». Sur le chantier, vous aviez des moments où vous réussissiez à oublier tout ce qui n'était pas la grande émergence du béton dans ses formes organiques.

Pour vous, «la forme (était) belle, parce qu'elle (était) l'image de la pensée» et qu'elle exprimait nos aspirations.

À bientôt.

Chaque année, quatre cent mille touristes français viennent découvrir votre pays. C'est la délégation du Québec à Paris qui m'a donné cette information. Grâce à vous, le Canada, le Québec et leurs jeunesses sont devenus des peuples sportifs.

L'implantation du stade dans le quartier de l'est de Montréal était déterminante. Le base-ball devait devenir le sport majeur après les Jeux. De plus, la volonté d'urbanisme enterré qu'exprimait la ville souterraine de Montréal, reliée par deux lignes de métro avec deux stations, ancrait ce Parc olympique, évitant un centre-ville trop dense. On ne fera jamais un stade sur le Champs-de-Mars à Paris.

Pour la première fois dans une ville olympique, les liaisons étaient faciles, débarrassées de tout encombrement et trafic routier. La Ville de Montréal avait compris les erreurs de Mexico et de Tokyo où la circulation automobile extrêmement difficile avait empêché des journalistes d'assister à certains des événements et de suivre leurs compatriotes, en raison de leur éloignement.

Je voudrais dire quelques mots sur le Stade et sur le Vélodrome parce qu'ils constituent les éléments majeurs de ces installations olympiques et qu'ils ont été l'objet de controverses. On a reproché, par exemple, sa forme elliptique au Stade en invoquant, comme un argument, la circularité des stades aux États-Unis. Faire cohabiter football, athlétisme et base-ball nécessitait une adaptation géométrique répondant aux définitions de visibilité.

Lettre quatre-vingt-dix-sept

Pourquoi ai-je dessiné une ellipse? Cela chiffonnait les Américains et un journaliste m'a dit un jour: « Si vous aviez fait un cercle, toutes les consoles auraient été semblables.» J'ai répondu: «Vous avez raison. Si j'avais choisi de réaliser un stade circulaire, toutes les consoles auraient été identiques. Il n'y en aurait eu qu'une à dessiner». Pourquoi construire un bâtiment monotone? Le Stade offre, grâce à sa structure, des possibilités d'utilisation pour d'autres compétitions.

Base-ball et athlétisme, par exemple, deux activités aussi différentes l'une de l'autre que possible, requièrent des axes de visibilité également différents. Ce fut la raison de la mauvaise réalisation des tribunes mobiles: prévues sur coussin d'air mais réalisées sur rails comme aux U.S.A., les spectateurs se trouvèrent éloignés du marbre de trente à quarante pieds. De même, l'abandon de quatre-vingts loges fut préjudiciable, car il est prouvé, en Amérique du Nord, que la base des ressources de tout stade dépend du nombre de ses loges.

La vérité est que ce sont les mêmes sociétés américaines qui ont construit la plus grande partie des stades de base-ball sur le continent nord-américain et qu'elles ont intérêt à utiliser chaque fois les données qui ont été définies pour la première réalisation. Ainsi, une fois la commande passée, on n'a plus, en fait, qu'à se soucier de la couleur des installations et à réutiliser les anciennes études.

En proposant le béton armé ou précontraint, ce matériau ayant permis les grandes réalisations de ce siècle, barrages, ponts, viaducs, centrales nucléaires, plates-formes marines, aménagements portuaires, le choix portait sur un matériau sûr dont toutes les nations développées font usage. Il n'y avait rien de complexe ou de futuriste.

Lettre quatre-vingt-dix-sept

Ma correspondance devient technique et je m'en excuse si elle vous ennuie. Mais vous m'avez si souvent montré un intérêt passionné pour mon métier que je me plais à croire que vous continuez, même de loin… À bientôt.

Lettre quatre-vingt-dix-huit

Un de nos grands écrivains était venu nous rendre visite.

De l'écrivain Barjavel qui s'est agenouillé pour contempler le Parc olympique jusqu'au rédacteur du *Frankfurter Zeitung* en Allemagne, rien de péjoratif ou de virulemment critique n'est jamais apparu dans le dossier de presse concernant l'architecture de ce complexe. Seul le mot «mégalomanie» a régulièrement surnagé, parfois même au milieu des louanges. Depuis, nous avons eu en France de nombreux exemples dix fois plus coûteux, tels La Villette, La Bibliothèque Mitterrand ou le Stade de France pour lesquels le payeur de taxes devra débourser jusqu'à la fin de ses jours.

«J'ai voulu aller voir à mon tour où en était ce monstre gigantesque dont Montréal accouchait dans la douleur. Je suis arrivé à la pire saison, au moment où la neige accumulée pendant six mois fond doucement et inonde tout. La terre regorge d'eau. Si on met le pied sur une pelouse, on y enfonce jusqu'à la cheville. Le chantier du Stade est un lac de boue. J'y patauge jusqu'aux oreilles, je m'y perds, je tombe, je manque de me noyer dans une mare de glaise liquide. C'est que je regarde en l'air!... Et j'oublie la neige et la boue, et tout ce que j'ai lu et entendu...

Le Stade de Montréal est un événement qui dépasse les querelles, les polémiques, les rancunes, les cupidités et les maffias. Et même les Jeux Olympiques. Commencé il y a douze mois, freiné par une demi-année de grèves et de pagaille organisée, par le froid, l'incompréhension, et par la concurrence d'un continent contaminé par la politique, garrotté par le banditisme, il a poussé malgré tout et malgré tous, dans la bagarre, mais aussi dans l'enthousiasme. Il est actuellement en plein élan, comme un arbre

au printemps. Sauf une nouvelle offensive des syndicats...»
(Barjavel, *Le Journal du Dimanche*, 11/04/76).

Cher Drapeau, ceux qui maintenant viennent vers ce lieu n'auront jamais notre chance de l'avoir vu construire et d'avoir participé à sa réalisation: ils n'en auront jamais la même vision. À bientôt.

Lettre quatre-vingt-dix-neuf

Je me souviens que vous m'aviez interrogé sur ma compétence dans le domaine sportif.

Mes activités, depuis mes études universitaires, dans la réalisation d'équipements de sports de compétition m'avaient permis, après avoir suivi tous les Jeux Olympiques depuis Rome, de comprendre la volonté des athlètes et leur recherche des meilleures performances dans l'effort. Il faut rappeler qu'aucun athlète ne doit avoir à supporter les erreurs techniques survenant dans la conception des équipements dont il se sert.

C'est donc à partir de toutes les réunions de préparation avec les Fédérations internationales et leurs services, que je fus obligé d'étudier, de résoudre et d'appliquer les exigences nombreuses qui apparaissaient, rencontres après rencontres, avec tous les responsables internationaux. Je ne laisserai pas passer l'hommage que l'on doit rendre à un homme qui a laissé sa santé dans ce tourbillon de contraintes: M. Pierre Charbonneau, homme dévoué à la cause du sport et de l'olympisme, que j'ai pu apprécier durant les quatre années de la fin de sa vie consacrée à sa vocation: le sport et la réussite des Jeux Olympiques de Montréal.

Et puis, en 1991, vinrent les démolisseurs. Aujourd'hui, ils ont commencé leur œuvre: faire croire que le sport cycliste n'est pas rentable, pas plus que le patinage et le tennis couvert. Les pingouins et les perroquets du Biodôme seraient plus à même, paraît-il, que le sport, de répondre aux besoins éducatifs de la jeunesse! Voilà, cher Drapeau, comment on règle ses comptes avec Jean Drapeau. Si le sport coûtait en gestion un million de dollars par an, nos enseignants en frac et à la voix nasillarde demandent pour leur entretien la somme de dix millions. Pour conclure, il est bien dommage que vous ne soyez plus là pour défendre cette idée que si les hommes ont besoin du superflu dans l'instant, ils regardent surtout vers l'avenir. À bientôt.

Lettre cent

Nos visites sur le chantier ressemblaient à une sorte de guerre.

Très souvent, vous m'aviez confié que les comptes rendus préparés par les intermédiaires démontraient une volonté de créer des difficultés avec l'administration municipale, bien avant novembre 1975. Jamais les responsables ne vous ont dit que les échéanciers des travaux ne pouvaient être respectés, ni en janvier, ni en juillet, ni en octobre, bien au contraire; des réunions secrètes se tenaient pour prendre en main le dossier, comme le révèlent les auditions du Rapport Malouf.

C'est à ce moment-là que vous m'aviez confirmé qu'on vous cachait la vérité; vous l'aviez dit aux journalistes et étiez même allé plus loin: maître Dagenais avait repris vos certitudes dans ses interrogatoires lors des auditions de la Commission. «M. Niding, vous alliez dîner avec Bernard Lamarre entre mars 75 et novembre 75. Faisiez-vous des comptes rendus au Maire?» La réponse fut un silence.

La première cause de ce vaste désordre venait de la mauvaise organisation des chantiers par Desourdy, qui entraîna une réduction de la productivité. En second lieu, il y eut les primes de rendement octroyées par les entrepreneurs du Village olympique, qui provoquaient un véritable débauchage.

Tout cela menait à la grande désorganisation, au bouleversement de toutes les séquences de montage, en fait à un désordre total sur le chantier, aggravé d'un chantage à la peur auprès des chefs responsables; tous ces problèmes existaient depuis longtemps en Amérique du Nord, mais un Européen a du mal à assimiler ces façons de faire.

Comme l'avait relevé M. Louis Laberge, au sujet des marchés passés à coût net et honoraires, il n'y avait plus de contrôle possible: la mission de mandataire n'existait plus. Quant à la forêt de grues, aussi inutile qu'encombrante, je pense que tous les Québécois auraient voulu en posséder une.

Vous-même, oui, vous, Drapeau, vous vous êtes vu refuser par Roger Trudeau l'accès au chantier du Parc olympique, car vous n'aviez pas fait de demande officielle! L'inimaginable n'était plus improbable.

Personnellement, j'affirme que dans tous les pays où mon équipe et moi-même avons œuvré, nous n'avons jamais subi un tel contexte de sabotage, géré pour abattre le maire et ses services.

Aux yeux du monde entier, vous aviez ruiné Montréal. C'était la version politique qu'il fallait démontrer; elle valorisait ceux qui avaient fabriqué ce spectacle du gaspillage baptisé «merdier» par M. Claude Charron, ministre de l'opposition. Oui, M. Claude Charron avait bien raison, jusque dans le style choisi. À bientôt.

Lettre cent un

Depuis longtemps, je réfléchis... Pourquoi de tels propos? Pourquoi vous détruire? J'ai trouvé dans les dispositions Malouf des réponses étonnantes. Tout tient dans ces propos: «Personne ne crut un seul instant (sauf Malouf) que Drapeau faisait les plannings du stade et gérait le chantier.» Le pire, c'est qu'un vice-président du Comité exécutif, M. Yvon Lamarre, déclarait qu'il n'y avait pas de gérant alors qu'il avait approuvé le contrat L.V.L.V. Serait-ce une histoire de famille?

Devant ces propos peu amènes, je dois vous dire que vous fûtes un maître d'ouvrage exceptionnel, attentif à tout, s'informant des détails, vivant la construction. Vos lunettes d'écaille abritaient vos secrets, difficilement décelables sauf à l'énoncé de certains noms: P. E. Trudeau, Robert Bourassa, Marc Lalonde, Paul Desrochers... Des reflets significatifs scintillaient alors dans vos regards. Votre silence seul répondait aux mouvements souterrains que vous connaissiez parfaitement. Vous avez emporté avec vous, pour l'éternité, les secrets du tapis glissant qui fut déroulé sous vos pieds.

Enfin, pour revenir au juge Malouf, son manque d'expérience l'a aidé à aller dans le sens vers lequel on le poussait: vous prendre comme cible. Comment pouvait-il croire qu'un avocat pouvait gérer une construction et que sa curiosité soit allée jusqu'à connaître toute la technique de montage? Cela me semble invraisemblable.

L'article de Michel C. Auger dans le *Journal de Montréal* est intéressant dans sa conclusion, car à la fin, la rigueur et l'honnêteté du journaliste mettent en place la vérité (ce dont je le félicite).

«Il était le seul politicien à avoir le dos assez large et il était plus simple pour tout le monde de lui mettre tout sur le dos. ... C'est un dossier qui aurait fait tomber n'importe quel gouvernement, n'importe quel premier ministre.»

Lettre cent deux

Je ne sais pas si vous aviez pu lire les «Ficelles du Pouvoir» de Carole Marie Allard, paru en 1990.

C'est un ouvrage instructif où l'on apprend que les ouvriers du chantier olympique, ceux-là même qui défaisaient la nuit ce qui avait été fait la veille pour le refaire le lendemain et être payés à double tarif, s'en sont aussi très bien sortis et ont pu témoigner sous cagoule afin de ne pas être inquiétés lors de la Commission Malouf. Sous cagoule! Des témoins! Devant un juge! C'est une tradition qui en dit long!

Elle nous livre également un éclairage discret (à sa manière) mais efficace sur l'inattendue vocation (à mes yeux) pour les arts visuels du patron de Lavalin en mal de notoriété et de dorure sur le blason.

On devient, dans ce pays, tenté par le métier de fabuliste et de conteur. Je me sens aussi tenté par le genre de la farce — pourquoi la plume se refuserait-elle le coup de crayon de la satire? — qui donnerait un récit de ce genre: Bernard Lamarre, mandataire coordonnateur des travaux du Stade, prit un jour l'habit de mécène. Ainsi en avait décidé son artiste conseil ès bluff du peuple. Il devenait urgent de créer une légende, la réalité peinant à produire l'effet glorieux recherché, une légende qui transformerait la pompe à milliards des contribuables en petite fontaine à millions pour la culture du peuple... On aidera donc les jeunes artistes. Et Bernard, et Louise son épouse, de s'intéresser à l'art contemporain: cela devient une vocation de famille. Un beau-frère se fait l'artisan de la réussite et du choix des artistes, présents, passés et futurs: du hobby, on passe à la dictature du Père Ubu. Il manque certes un petit quelque chose, qu'importe! Sans fibre artistique, on a l'ingénierie créative: on sera collectionneur. Les mots, ça compte pour le pouvoir; il en fait des titres. La philanthropie y retrouvera difficilement ses petits.

Pas du tout tentée par ce style, Carole Marie Allard, quant à elle, manifeste un prodigieux talent pour balancer alternativement sa plume en faveur ou en défaveur des «Ficelles du Pouvoir»; en faveur, en défaveur, en faveur…

C'étaient les dernières nouvelles de la ville. À bientôt.

Lettre cent trois

Cher ami,

Le Magazine des ingénieurs du Québec vient de tenir des propos diffamatoires à mon égard dans un combat vraiment d'arrière-garde: le professeur Cassondey et M. Roret, experts internationaux, ont confirmé la vérité technique sur le dossier du Stade. Ça s'use, le mensonge, si l'on s'en sert trop.

Afin de bien situer le climat, je reprends ce passage du magazine des ingénieurs: «Taillibert, artiste intransigeant, souvent intraitable, s'est fermé du milieu québécois de l'ingénierie.» On m'attribue des citations choquantes. «Dans ce projet, aurais-je dit en parlant du stade, la matière grise est française, les muscles sont québécois.» Pour répondre, je dirai que ceux qui connaissent mes moyens d'expression, savent que je n'emploie jamais d'insultes; que sportif moi-même, le muscle n'a rien de péjoratif pour moi; enfin, que le muscle n'est pas l'outil principal d'un ingénieur. Ceci est simplement de la diffamation.

Quant au climat tendu, je pense qu'il venait tout simplement de la mauvaise organisation constatée et démontrée, quant à la réalisation des travaux du Stade. Je mets au défi Messieurs Charles Arthur Duranceau ou Marcel Desourdy de confirmer devant moi que les citations du magazine m'appartiennent; le nombre d'ingénieurs québécois avec lesquels j'entretiens aujourd'hui de très bons rapports et avec qui je collabore en est le démenti flagrant dans les faits.

Autre mensonge concernant le mât: il fut arrêté parce que les gaines avaient été écrasées par les entrepreneurs, créant une résistance moindre de dix mille tonnes de précontrainte. Cela répondait au vœu de Bernard Lamarre: ne pas construire de symbole pour Drapeau. La voilà, la vraie vérité. Comptez sur moi, cher vieil ami, pour la faire savoir. À bientôt.

Lettre cent quatre

Grâce à des chiffres admirablement manipulés et régulièrement diffusés dans la presse, mais dont les causes sont de mieux en mieux connues, le silence maintient la vérité sous séquestre.

Les moins secrètes de ces causes furent la crise du pétrole, le temps supplémentaire pour rattraper le temps perdu en hiver et lors des grèves, la hausse des indices, les primes de productivité, les sabotages, les vols, le retard de deux ans pour l'obtention du vote de la loi sur l'autofinancement. À propos de ce dernier point, pour sortir du jeu de l'autruche, on ne peut continuer à croire à la bonne foi de ceux qui décidèrent ce vote si tard, quand ils savaient, tout autant que vous, que le délai de réalisation n'était que de quatre ans!

Le montant atteindra, pour tout le complexe, huit cent soixante-dix-sept millions de dollars alors que M. Bernard Lamarre avait présenté un chiffre de cinq cent soixante-quinze millions. La différence entre les deux, soit la peccadille de trois cent deux millions, est inexplicable (sauf au cours d'auditions à huis clos...).

Votre réponse fut la suivante: «Il n'y a jamais eu de déficit olympique. Les Jeux de 1976 ont été l'occasion, pour les gouvernements et fédéral et québécois, de s'approprier des revenus et de faire des emprunts qu'on a ensuite, pour commodités politiques, préféré attribuer à l'organisation des Jeux. Il faut ajouter que sur un milliard de dépenses, cinq cents millions rentrent en taxes dans les caisses du gouvernement. Les services fiscaux profitent toujours de la hausse des coûts.»

Je vous ferai maintenant une critique personnelle: votre plus grande erreur fut de n'avoir pas appréhendé la différence entre l'organisation des Jeux et le coût des immeubles dont l'amortissement se fait normalement sur vingt ans.

Seule la Ville de Montréal aura versé une subvention de deux cents millions de dollars pour réduire la différence de crédit de paiement. Par contre, les gouvernements n'ont pas aboli leurs taxes, ni donné de moratoire sur leur encaissement.

Lettre cent cinq

Je vous reparlerai maintenant de moi, cher ami, «l'architecte conseil»: il n'avait aucune autorité sur la gestion financière — tous les politiques avaient fait le barrage — ni sur la crise du pétrole, ni sur les sabotages et encore moins sur les vols.

Que faire contre le harcèlement et le manque de productivité? Ce que l'architecte, l'âne chargé d'éponges, conseilla: l'utilisation d'éléments préfabriqués; cette externalisation de la production permit que délais et coûts fûssent respectés.

Des pages entières pourraient être développées sur tous les incidents admirablement orchestrés par un pouvoir tirant les ficelles. Le retard du vote de la loi sur l'autofinancement fut un des éléments qui perturba ce dossier. Les équipements de Montréal, un stade couvert et des piscines, coûtèrent, malgré le gaspillage, deux fois moins que ceux de Munich. Dans ce dernier cas, le stade n'était pas couvert, ce qui divise par deux le coût; par ailleurs, il faut aujourd'hui y refaire un stade spécialisé (pour mémoire, le montant du stade de Munich fut de l'ordre d'un milliard quatre millions D.M); le budget avait doublé et ceci pour un stade découvert. Comme le rappelait à juste titre Pierre de Coubertin:

«La connaissance ressemble à un vaste système montagneux vers lequel nos pères se seraient mis en route à l'aube, la lanterne et le pic à la main. De loin, on apercevait le profil suggestif de la chaîne; à mesure qu'on s'en est approché, on a perdu de vue l'ensemble. On s'est divisé en équipes et l'ascension a continué par des vallées séparées.» À bientôt.

Mon cher Drapeau,

L'administration souterraine réglait ses comptes en commençant par moi. Le Service des taxes avait émis à mon encontre un recouvrement de plus de cinq millions de dollars, allant jusqu'à saisir une cabane de cinquante mille dollars dont j'étais propriétaire à Saint-Sauveur. La vérité fut toujours cachée à la population. À cette date, je n'avais pas de contrat — et n'en ai jamais eu — et n'avais reçu qu'un règlement symbolique de deux cent mille dollars, alors que tous les plans directeurs étaient faits depuis 1973. J'étais donc censé régler une somme aussi importante sans avoir rien perçu ou presque.

Le véritable but, c'était bien la guerre contre Drapeau-et-Taillibert. Des avocats compétents mettront fin à cette comédie. Je vous l'ai déjà dit, les hommes politiques doivent avoir les nerfs solides; les architectes aussi.

Ce traitement m'était réservé en propre. Votre ami Paul Desrochers dont je reconnaissais l'action efficace au C.O.J.O., vous força la main sur le choix de bureaux d'études dont la compétence fut mise en cause par la suite. Homme de grande qualité, il était conseiller personnel de M. Bourassa: engagé en honnête homme dans son soutien, il réalisera plus tard et trop tard, qu'il avait «couvert» sans le vouloir des agissements regrettables. Il imposa donc le mandataire coordonnateur et cela fut catastrophique. Tous ces bureaux obtinrent, grâce à MM. Gérard Niding et Charles Antoine Boileau, leurs contrats et des versements quasi immédiats. Le mécanisme secret fonctionnait très bien pour les amis.

Lettre cent six

Moi, on me réclamait des plans, sans que je puisse rétablir ma situation financière, et je devais avancer les frais des études avec l'aide de ma banque. Tous les procès que je dus engager, dont le plus célèbre fut avec le juge Gonthier, me coûtèrent plus d'un million de dollars. François Mercier essaya de trouver une solution de compromis, mais il ne parvint à obtenir un règlement très inférieur à la réalité des sommes dues, qu'en 1985, quinze ans plus tard.

La Commission, devant laquelle je fis ma déposition, me fit penser à la fable de La Fontaine, «Le loup et l'agneau»; elle n'a jamais relevé le point important «d'enrichissement sans cause» dans tout le dossier, et s'est acharnée à ne parler que de «l'étranger et de l'inédit.»

Près de quatre-vingts personnes avaient travaillé sur ce dossier, à Paris, à mes frais, pendant deux années, sans que j'aie jamais perçu un seul dollar. Voici la vérité que vos électeurs devaient connaître et qu'on leur a bien cachée. Je vous ai souvent dit qu'il valait mieux être un entrepreneur accroché aux ficelles du pouvoir qu'un architecte appuyé seulement par un maire, fût-il le meilleur!

Bien que j'eusse été défendu, et admirablement, par maître François Mercier, un procès s'engagea sur une demande reconventionnelle de la R.I.O. pour les problèmes constructifs du mât. Je lançai une procédure pour enrichissement sans cause contre la R.I.O. qui avait utilisé des plans sans payer leur auteur. Devant ce problème corporatif, l'Ordre des architectes du Québec ne vint pas à mon secours; le débat eut donc lieu sous l'autorité du juge Gonthier. Le président Rouleau était allé jusqu'à confier des études à des architectes québécois, ayant négligé les principes fondamentaux de l'éthique professionnelle indispensable à toute société organisée.

Comme j'avais dépassé largement les obligations contractuelles de ma mission en fournissant un personnel nombreux pour faire l'école aux constructeurs sur les principes constructifs préconisés, notre demande était, suivant les règlements, de dix-huit millions de dollars. Douze millions avaient été retenus par les Services techniques de la Ville; seule la somme de six millions huit cent cinquante-quatre mille dollars sans intérêt nous fut attribuée, malgré le développement du juge Gonthier.

«En toute déférence pour le comité, le tribunal est d'avis qu'il n'a pas suffisamment tenu compte de l'ensemble que constituent les installations du Parc olympique, leur complexité, l'originalité de leur conception et des méthodes de construction et de réalisation qui ont constitué pour l'architecte une œuvre de création de première importance faisant appel à ses talents exceptionnels de concepteur, à sa vaste expérience dans un domaine très spécialisé, et exigeant des études et des recherches très poussées, ainsi qu'une participation par ses conseils et une assistance technique à sa réalisation par des techniques de pointe qui seules pouvaient la rendre possible dans les circonstances.

La polyvalence des différents éléments des installations, leur agencement et leur intégration, la complexité des équipements d'éclairage, chauffage, ventilation, télécommunication, leur qualité tant esthétique que technique en font un ouvrage extraordinaire comme l'a reconnu d'emblée un témoin de la Régie, l'ingénieur et mandataire coordonnateur Jacques Lamarre. Une visite des lieux a permis au tribunal de confirmer l'appréciation exprimée à l'unanimité des témoins entendus à ce sujet.

Sans doute s'agit-il d'un ouvrage audacieux dont la réalisation a été beaucoup plus coûteuse que prévue. Taillibert a proposé ce concept. Ce n'est pas lui qui en a estimé le coût et qui en a décidé la réalisation. On n'a pas cherché à prouver qu'une

Lettre cent six

même somme de travail de la part de l'architecte aurait permis la réalisation d'installations aussi adéquates mais moins coûteuses, encore moins est-il établi ou peut-on penser que ces installations auraient le caractère, l'attrait, les avantages et la qualité de celles qui ont été effectivement réalisées et dont bénéficient les défenderesses. On ne peut justifier ainsi de diminuer le taux des honoraires que commande la complexité de l'ouvrage. Cette prétention du comité et une remarque du témoin Goudreau laissent plutôt entendre que l'on reproche à Taillibert son audace, audace qui a cependant incité la Ville à se doter d'un ouvrage exceptionnel même si le coût en a été exorbitant. Selon la preuve, l'évaluation de ce coût n'était pas la responsabilité de Taillibert et les coûts ont été fortement majorés par des facteurs dont l'architecte n'est nullement responsable, notamment les troubles sociaux et autres dont les effets ont d'ailleurs été minimisés par la préfabrication des pièces de béton conseillée par l'architecte et à laquelle il a apporté une assistance technique importante.

Le tribunal conclut selon la prépondérance de la preuve, que la cause principale de la faiblesse du mât résulte d'une erreur de calcul des ingénieurs chargés de sa conception et réalisation au point de vue génie. Les deux autres facteurs, soit le déficit de précontrainte survenu dans la réalisation de la construction et les effets du retard prolongé dans la finition du mât ont été des facteurs secondaires aggravant une situation déjà compromise. Quant à la suffisance des appuis de néoprène, la preuve est contradictoire. Il n'est pas utile pour les fins du présent litige de trancher davantage ces questions techniques, car la preuve ne permet de relier aucun de ces facteurs ou aspects de la faiblesse du mât, à Taillibert.

Le retard dans la finition du mât est attribuable à une décision de la Régie elle-même. Il est vrai que ce retard a été lui-même amené par les difficultés rencontrées. Cependant, il n'y a pas d'impossibilité de le compléter et le comité d'experts dits internationaux créé par la Régie pour l'aviser quant aux remèdes à apporter, a proposé une solution sur laquelle la Régie fonde d'ailleurs le montant de sa réclamation au mât.

Le déficit de précontrainte est survenu dans l'exécution des travaux, ce qui ne relevait pas de l'«étranger». De fait, selon une preuve prépondérante, l'importance du déficit était dans les limites de la normale et il appartenait aux ingénieurs de le prévoir. Quant aux appuis de néoprène, ils ont été conçus et dessinés par les ingénieurs mandatés par la Ville elle-même. Ces appuis ne figurent sur aucun plan de Taillibert.

Quant à l'erreur de calcul, il s'agit d'une erreur dans les calculs faits par les ingénieurs mandatés par la Ville dont le contrôle et la vérification étaient expressément exclus de la mission envisagée pour Taillibert. Il est vrai que cette définition de mission n'a pas fait l'objet d'un contrat. Elle confirme cependant que la Ville n'a pas requis ce travail de l'architecte, ne s'est pas fiée à lui sur ce point, mais s'en est remise aux ingénieurs. Il en fut également ainsi de la Régie elle-même qui a entrepris après les Jeux Olympiques de poursuivre les travaux selon les avis reçus des ingénieurs et de les suspendre par la suite selon ces mêmes avis.»

Mon cher Drapeau, je n'ai pas fini de vider mon cœur sur toute cette affaire. Je vous dis à bientôt.

Lettre cent sept

Cher Drapeau,

Nous étions en juillet 1976. Je me trouvais sur le Stade avec des journalistes de chaînes françaises dans l'axe du mât abandonné volontairement par les monteurs de «Meccano».

Si la partie était gagnée, des sabotages persistaient: au dernier moment, des réseaux de canalisations desservant les vestiaires des athlètes avaient été bouchés au ciment.

Les réseaux devenus inutilisables comme les vestiaires qu'ils servaient, on remplaça ces vestiaires par un nombre considérable de roulottes. Le loueur de ces véhicules attendait seulement la commande. Tout était minutieusement prévu. Le Dr Goldbloom n'avait rien vu, selon lui.

L'ensemble des équipements presse et locaux sportifs pouvaient permettre le déroulement des compétitions.

Le lendemain, vous aviez reçu dans vos bureaux la Reine d'Angleterre et le Duc d'Édimbourg. Cette rencontre fut sympathique. Si, dans son français remarquable, la Reine exprima aimablement son admiration pour la maquette que vous lui aviez exposée, elle avait poursuivi avec sa fameuse question sur mon domicile officiel et mon territoire.

Exprimait-elle sa compassion envers la fatigue que représentaient ces déplacements fréquents, ou pensait-elle que l'«étranger» que j'étais aurait dû changer de nationalité? À chacun d'interpréter. Quant à vous, quand je vous interrogeai, seul un sourire derrière vos lunettes m'apporta une réponse (comme souvent!) Le temps, pourtant, n'efface pas les mots, surtout les mots royaux.

Lettre cent sept

Quant au Dr Goldbloom, votre ennemi, l'homme des arbres, il avait tellement grandi qu'il était difficile d'apercevoir son visage épanoui par le succès et les honneurs qu'il vous avait volés. Mais la clameur et les vivats venus du stade remplacèrent les procureurs de la Commission Malouf, rendant à certaines grenouilles leur taille d'origine. Les quatre-vingt mille procureurs de la ville avaient apporté leur réponse à cette commission de fossoyeurs de la vérité. Pouvez-vous le questionner, ce juge, si l'architecte local l'a logé près de vous? Qu'allons-nous, petit juge d'en bas, retenir de ces Jeux? Que la Ville de Montréal n'a su que gérer des déficits? Qu'elle s'est enrichie d'une publicité de marque quand on voit les milliers de personnes qui, chaque année, photographient le monument?

La partie a été gagnée; les Jeux furent un succès sans précédent et à tout point de vue. Le coût de l'opération ne doit pas faire oublier les acquis de l'expérience, sa réussite et toutes ses retombées.

Que diriez-vous aujourd'hui aux Québécois? Que leur ville de Montréal possède des installations parmi les plus belles du monde, faites de matériaux produits par eux, sur lesquelles leurs ouvriers, leurs entreprises et leurs ingénieurs ont œuvré? Non seulement elles augmentent leur patrimoine qui peut s'en enorgueillir, mais elles offrent aussi des bâtiments fonctionnels, d'une utilisation polyvalente pour aujourd'hui et pour demain, si les responsables de tels équipements s'appuient enfin sur les véritables exemples de gestion des équipements sportifs par des sociétés privées.

Le silence sur le «club des enfouisseurs» du projet s'imposait. C'était la fête. Quelle fête! Quand, à quinze heures, vous fûtes installé sur la tribune à côté de la Reine, l'ovation des quatre-vingt mille personnes présentes fut si longue que l'on comprit que le jugement du peuple allait devenir la véritable commission d'enquête. À la clôture des Jeux, quand vous aviez remis au maire de Moscou le drapeau olympique, les citoyens, par un geste prémonitoire, dénonçaient à l'avance l'enquête Malouf et ses conclusions contraires au choix du peuple.

Pas de censure dans ces Jeux: je n'ai jamais signé autant d'autographes de ma vie, surtout sur des billets de cinquante ou dix dollars.

La partie était gagnée: c'est bien ce qu'a signifié une autre scène, aussi fervente et émouvante, celle qui s'est déroulée à la sortie de vos funérailles, devant l'église Notre-Dame, en août 1999.

Lettre cent huit

Cher ami,

Vous aviez un directeur des Travaux publics, l'ingénieur Richard Vanier, que vous aviez envoyé avec un collègue, Raymond Cyr, à Karlsruhe pour vérifier que les néoprènes situés à la base du mât étaient compatibles avec le poids de celui-ci. Le résultat fut édifiant: la résistance à l'écrasement était certifiée quatre fois plus forte que celle du béton.

Sa présence à la Commission d'Hydro-Québec avait permis à un ingénieur de recevoir de la part des ingénieurs français des informations très détaillées sur les projets Taillibert et les études françaises sur la toiture mobile.

Ceci permit à la firme Lavalin de lancer la farce suprême: l'appropriation du projet du mât avec sa toiture mobile. Elle se révèle de façon très claire dans les deux rapports que Lavalin a remis en 1984 à la R.I.O. et dont je n'ai eu communication que beaucoup plus tard, par décision de justice.

Le premier expose, très clairement et exactement, le contenu du projet français de toiture mobile, reproduisant même des plans où l'on voit l'étampe de M. Billotey, mon collaborateur. Le second expose toutes les modifications qu'elle a l'intention d'y apporter, avec des motifs qui montrent une incompréhension complète de l'usage et de la statique des câbles, en particulier.

C'était encore un montage bâti sur la manipulation du doute et sur l'oubli du sabotage, afin de vendre au public une bonne conscience peinte en trompe-l'œil.

Je crois en fin de compte que tous ces acteurs portaient la djellaba noire au col blanc pour affirmer que le mensonge est vérité. À bientôt.

Cher ami,

Le vol qualifié de l'invention française de la toiture s'est passé avant votre grand départ, mais une nouvelle farce, très coûteuse en papier d'étude, était en préparation: construire une toiture en acier. Cette fois, il n'y aurait plus de déchirure.

Lapalisse revenait sur terre; quelle nouvelle pour le bon peuple!

C'est donc l'idée d'une toiture métallique qui germa dans la tête des responsables: l'acier, forcément, assurerait une très grande durée. N'importe quel spécialiste réel savait que le Kevlar 49 a les mêmes propriétés.

Après consultation avec un ami, je pris contact avec Yves Michaux. Ce n'est pas un technicien, mais un homme plein de bon sens, et puis c'était un ami de M. Lévesque. Nous déjeunons. Je lui fais une synthèse de la situation. Immédiatement il me dit: nous allons voir Bernard, mais Bernard Landry!

Yves était au volant et avec son tempérament de journaliste, il me racontait beaucoup d'histoires drôles et pleines d'humour.

Nous avions souvent traversé l'Atlantique ensemble et sa façon joviale d'attaquer les Jeux ne m'avait jamais atteint; mais la bataille était politique... quel bourbier!

Enfin! Ce passé-là doit s'oublier puisque cette équipe prit le pouvoir aux monteurs de «Meccano».

Nous arrivâmes donc au bord du Saint-Laurent dans la résidence de Bernard Landry où je reçus l'accueil chaleureux d'un professeur et de son épouse, devant une vue magnifique où le Saint-Laurent s'étalait à perte de vue.

Lettre cent neuf

Magnifique paysage où le silence faisait disparaître les passions.

Monsieur le ministre parlait avec sincérité et tout cela devant une très bonne bouteille de Bourgogne.

Il m'écouta, mais je compris que mon intervention était trop tardive et que la solution américaine allait être mise en œuvre, sans tarder à connaître certains malheurs, du fait de son inadaptation. Après un long entretien avec cet homme brillant, j'eus la sensation qu'une partie seulement de mon exposé l'avait convaincu. De longs mois plus tard, il me confirma que j'étais intervenu trop tard, que la situation était irréversible (sympathique réponse d'un politique).

Le résultat sera connu très vite; la base de nos études avait été modifiée, sans observer la pré-tension obligatoire dans la voile pour éviter le faseyage, contrairement aux recommandations de l'ingénieur général Mogaray et de la commission d'experts de M. Saulnier.

L'ingénieur chargé du projet n'avait posé aucune question technique pendant toutes nos séances de travail et avait pris en main, aidé par un Français inconnu, la réalisation de la toiture; comme la société Lavalin n'avait aucune référence dans les toitures textiles, elle était allée chercher une compagnie allemande spécialisée dans les ponts pour lui confier les études. La R.I.O. lui avait interdit tout contact avec le «maudit Français». La rancune ne s'essoufflait pas.

Les ordres venaient du chef suprême, le gouvernement du Québec: le toit Birdair fut lancé.

Une histoire de plus qui se termine mal: l'erreur engendre de nouvelles erreurs. Tant qu'il y aura des blanchisseries, la vérité restera dans le noir. À bientôt.

Mon cher Drapeau,

Il est logique que cette R.I.O., couverte d'or et entièrement libre de ses actions, s'arroge aussi le droit, pourquoi pas, de prendre ses décisions sans tenir aucunement compte des droits moraux reconnus par le traité international de Genève. Ceci est tout à fait normal pour un appareil administratif fondé dans l'unique but de lutter contre la Ville de Montréal et, en conséquence, contre le tandem Drapeau-Taillibert. La R.I.O. est une zone franche du droit international

Il lui faut, pièce par pièce, détruire votre œuvre. C'est son éthique à elle. M. Talbot, directeur de la construction, dont je ne connais pas les références — d'autres le peuvent-ils? —, contrôle toutes les techniques. C'est un fonctionnaire aux ordres et fidèle — c'est son métier — au nouveau maire.

C'est qu'une ère jardinière a pris le pouvoir: Monsieur Géranium 1er, votre successeur, détruit le Vélodrome. Ce bâtiment, évidé, accueillera désormais la flore (carnivore?) et la faune (végétative?) du continent nord-américain. Plus question de jeunesse ou de sports: le seul qu'on y pratique encore est à base de chaise et non plus de ballon; quelque chose comme un sweepstake où l'on mise sur des chaises musicales, je ne sais plus. Ça ne se joue qu'avec des chaises de maire. Si l'on pouvait faire voter les pots de fleurs! C'est joli et ça se tait.

Auriez-vous pensé qu'un jour un de vos amis amateurs de jardins vous ferait autant de mal? (Si le tonnerre gronde à l'instant, je saurai que c'est vous, histoire d'arroser...). Nous nous étions entretenus de ce choix téléguidé par

Lettre cent dix

Robert Bourassa: vous aviez explosé en apprenant cette décision; vous qui vous étiez battu pour avoir un équipement couvert à fonctions multiples! Vous ne pensiez pas que le boa proliférerait à ce point!

Les arguments avancés par vos ennemis étaient si puérils que votre colère s'étala sur plusieurs entretiens et avec vos collaborateurs des Travaux publics.

La R.I.O., c'est une équipe stable et sans surprise: elle n'a jamais eu qu'un but, détruire ce que vous aviez fait. Vous pouvez suggérer, là-haut, à Robert Bourassa, que vous avez rejoint, de nous informer de ses raisons profondes, maintenant que les ordres passent plus difficilement, même si les bons élèves appliquent toujours la consigne.

Il y a toujours eu incommunication entre les créateurs, les destructeurs et leurs obéisseurs. Que disait Malraux, déjà? «La culture, c'est ce qui triomphe de la mort.» Certains font des contresens.

Quant à M. Talbot, il s'est toujours pris de pitié pour les tics de l'architecte quand ce dernier invoquait l'éthique professionnelle; il n'en est donc pas à une modification près de l'œuvre du malheureux (moi). Il modifiera totalement le Vélodrome sans tenir compte d'aucun droit moral. L'oralité suffit en république bananière.

C'est ce qu'on appelle, dans notre pays, la France, la répartition des ouvrages. Au revoir.

Les farces — coûteuses — de la toiture mobile se renouvellent avec une créativité que l'on préférerait reconnaître aux inventeurs qui se bousculent autour, justifiant tour à tour mes propos prémonitoires de 1976, à savoir que tous les changements opérés sur la toiture mobile, avec tous les oublis et les négligences qu'ils comportaient, ne génèreraient que des échecs.

Prenons l'idée de la toiture d'acier. Claude Lefebvre était venu personnellement vous faire un cours rue Sherbrooke. Avec votre déférence habituelle, vous lui aviez confirmé votre position sur ce critère de longévité et de mobilité voulu pour les manifestations en plein air de l'équipe des Expos. Malgré cela, les études battirent leur plein. Toute l'équipe de la R.I.O. vint me voir à Paris avec Monsieur Bibeau.

Nous avons passé beaucoup de temps avec nos techniciens à leur démontrer que leur solution était inacceptable. Mais la grande soif — la soif, la soif, vous dis-je! — d'honoraires était plus forte que le pouvoir d'un ministre ou de son représentant. Une jeune ministre, Madame Dionne-Marsolais, portée par l'intuition d'une situation explosive, porta toute son attention et ses soins à la question, et fit nommer un conseiller. L'erreur fut évitée.

J'eus de longs entretiens avec le président de la Commission qui finit par se ranger à notre avis en expliquant qu'il faudrait encore de nombreuses études avant de conclure. Ce fut le moyen d'éloigner ce projet techniquement impossible.

Lettre cent onze

M. André Tétrault fut nommé, et une nouvelle idée géniale circula dans les couloirs: une toiture légère suspendue! En fait de véritable Québécois, on fit appel pour finir à la firme américaine Birdair; ce sera donc une nouvelle ère d'américanophilie. Oublions le passé.

La lettre de Kenneth C. Johns, elle, n'a pas fini de m'intriguer. Au revoir.

Ce soir, les nouvelles sont mauvaises: le toit Birdair vient de rendre l'âme. La neige s'est répandue sur l'Exposition de l'automobile. Le temps avait été favorable en 1998.

Cet incident me remet en mémoire la bataille de M. Saulnier qui dénonçait notre dispositif face aux chutes de neige. L'erreur vient maintenant d'Amérique: elle est donc beaucoup plus acceptable.

Le comble, c'est que la toile pouvait encore durer plus de dix ans, mais un marché est toujours bon à prendre... C'est ce que m'a confié un concurrent de Birdair. Devant un cynisme au naturel si désarmant, je n'ai pu m'empêcher de dire: «Si l'on vous propose de répondre à une soumission qui requiert de mettre la Tour Eiffel sur la pointe, vous répondez?» «Oui, me dit-il, l'intérêt, c'est le marché. L'erreur ne viendrait pas de nous, mais du donneur d'ordre.»

Je crois que c'est la meilleure réponse que m'ait jamais donné un entrepreneur.

Cette façon de faire aller les affaires en dit long sur les mœurs de nos sociétés contemporaines: morale et philosophie provisoires et à court terme pour des bénéfices personnels à longue durée. Les humains ont réduit leur vie et le monde à la taille de leurs petites activités. Quelle courte vue d'imbéciles assurés et sans cervelle! Ignorer encore ce que le battement d'ailes d'un papillon en pleine Amazonie provoque au Pôle Nord! Au revoir.

Lettre cent treize

Vous n'avez jamais joué avec la vérité et avez subi le mensonge en silence, déterminé à ne vous préoccuper que de votre but: respecter l'engagement que vous aviez pris devant le monde entier pour les Jeux Olympiques. Montréal devait prendre sa place, une place rayonnante, malgré les inévitables remugles que dégagent souvent les grands projets financés par les États et que les entreprises se disputent, pour une place éphémère dans un classement arbitraire. Ces «fonds de commerce», pour servir souvent à alimenter la politique, réussissent généralement à se faire épargner par la justice: leur ambition n'est que de se promouvoir sans créer.

La France, si elle voulait assumer son passé dans votre pays, s'y retrouverait seul porte-drapeau à n'avoir d'autre armée que sa culture. Et ce n'est point là se réduire à entretenir les liens des souvenirs ancestraux à la façon exclusive et passéiste de beaucoup d'hommes politiques canadiens.

C'est en vrai Drapeau de votre ville que vous étiez allé en France puiser, dans les domaines intellectuels et techniques, les moyens de moderniser votre ville. Ce n'était pas d'un utopiste; vous connaissiez vos origines les plus lointaines et en parliez comme un citoyen libéré, sans jamais être xénophobe.

La ville aux trente ethnies fut gérée, par vos soins, dans un cadre d'égalité, de respect et de dignité, démonstration éclatante de la grande qualité de son équipe.

Vous, le Canadien français nationaliste, réfléchissiez beaucoup à l'unité de votre pays, le Canada. Pour vous, le Québec devait avoir une personnalité indéniable, souveraine certes, mais non détachée de l'immense territoire que ses ancêtres, nos ancêtres, avaient construit: une «Sibérie» des U.S.A. où la liberté existe, où les richesses sont incommensurables. Voilà qui incite à réflexion sur l'évolution future du système planétaire.

La géopolitique ne manquerait pas de relever l'existence, dans cette région du monde, d'une jeunesse avant tout admirative des succès du voisinage. Le Canada, pourtant, par ses racines et les valeurs traditionnelles puissantes qu'il en tire, possède tous les moyens de s'associer à tous les courants de civilisation qui nous animent en Europe.

Dans vos propos de francophone, vous aviez toujours rêvé de voir des relais se construire entre la France et le Québec. Une partie importante de votre vie fut associée à la naissance de cette grande aventure.

Les Jeux Olympiques qui, tous les quatre ans, font exploser la planète médiatique, sont un tremplin incontestable pour la paix, l'unité de la jeunesse, la grandeur de l'homme et la civilisation du monde libre. Nous avons toujours, ensemble, formé le vœu qu'une fraternité s'installe dans cet avenir francophone dont la construction est encore pleine de difficultés. Souhaitons donc que notre amitié, née dans ce grand projet, fasse des émules et que nos pays réussissent à former un tandem aussi solide que Taillibert et Drapeau pour leurs olympiades du cœur. Et maintenant, qu'inventez-vous tout là-haut?

Épilogue

Lettre dernière

Mon cher ami,

Voici donc ma vraie dernière lettre: j'y ajoute un document un peu particulier sur la situation que vous avez vécue pendant la période olympique. Le juge Malouf avait un talent certain, et nous devons le remercier d'avoir fermé la porte sur la vérité avec autant d'audace.

Vous n'avez plus de réponse à faire. Il a réalisé un travail fantastique avec tous ses acteurs. Un travail si fantastique qu'il se voit de plus en plus.

Un auteur débutant, un certain Roger Taillibert, a écrit dernièrement une courte satire. Ceux qui la liront comprendront enfin de quelle désinformation ils ont été victimes et découvriront, avec un sourire je l'espère, une vérité que de forts brillants acteurs avaient si bien *déjouée*.

Si une seule ville au monde s'était une fois appauvrie en accueillant des Jeux Olympiques, je ne crois pas que le C.I.O. recevrait, comme c'est le cas aujourd'hui, plus de huit candidatures à chaque session des Jeux pour en décrocher l'obtention. La vérité réside dans la logique des faits.

La télévision permet à la lauréate de s'adresser à des milliards de téléspectateurs pendant trois semaines: c'est cette exceptionnelle publicité valant plusieurs milliards de dollars que recherchent les villes candidates.

Nous avons toujours su tous les deux que c'est la «petite» politique qui a défiguré vos Jeux; que l'aigreur d'un petit journaliste, avide de mettre sa plume en valeur, a suffi pour que se répandent les mensonges.

Nous savions aussi que si le gouvernement libéral fut puni par le peuple, c'est pour vous avoir trahi, car l'opposition qui sortit victorieuse des urnes ne voulait pas des Jeux Olympiques à Montréal.

Maintenant, il faut oublier.

Votre ami, à jamais.

Lettre au juge Malouf

Paris, an 2000.

Très Honorable juge Malouf,

Vous nous avez quittés pour l'au-delà.

Vous aviez refusé que l'on me posât des questions lors de mon audition par le bâtonnier Robert. Vous disposez maintenant d'un temps infini pour le regretter. Vos conclusions, avec le temps, et pour qui les relit, apparaissent de plus en plus étranges. À l'enquêteur que vous vous deviez d'être, je ferai quelques observations, en dévoilant quelques vérités implicites, mais bien dissimulées dans les rapports de votre Commission.

C'est au Français que s'adressa Jean Drapeau, à l'occasion d'une des dernières visites que je lui fis, quand il me demanda de faire appel à ma mémoire et de parler. J'ai dû alors consulter vos dossiers et remettre à jour toutes mes notes. Précédemment, jamais le temps que j'avais pu consacrer à la lecture de tous vos documents n'avait été pour moi aussi instructif.

Vous aviez choisi des acteurs dignes de Shakespeare pour cette grande scène de la XXI⁰ olympiade! Pourquoi, vous qui jouiez le juge, n'avez-vous pas puni tous les personnages de coupables qui ont avoué la vérité sur le plateau?

Pourquoi n'avez-vous pas cherché à connaître les véritables donneurs d'ordres de ce gâchis, puisque vos acteurs ne travaillaient pas pour leur seul compte?

Pourquoi, juge Malouf, avez-vous cité, dans votre rapport, ces deux phrases essentielles: «(…) L'existence possible de collusion de trafic d'influences ou de manœuvres frauduleuses ou irrégulières (…) La possibilité de récupérer une partie des sommes d'argent investies à même les deniers publics et les mesures pour y parvenir».

Votre réponse, qui m'eût obligé, d'autres la feront pour vous. La jeunesse voudrait que la lumière soit faite sur cette affaire.

Je vous renouvelle donc, juge Malouf, tous mes compliments pour ce travail sérieux et efficace que vous dûtes accomplir, tiré par les «ficelles du pouvoir».

Je vous dédie la «pochade» qui suit, dont le prologue est tiré du «Marchand de Venise» de William Shakespeare.

Satire

Au juge Malouf, en souvenir.

La XXIe olympiade,
ses malheurs, ses bonheurs, ses acteurs
Satire de Roger Taillibert

«L'homme qui n'a pas de musique en lui et qui n'est pas ému par le concert des sons harmonieux, est propre aux trahisons, aux stratagèmes, aux rapines. Les mouvements de son âme sont mornes comme la nuit, et ses affections noires comme l'Érèbe. Défiez-vous d'un tel homme. Écoutons la musique.»

Les personnages:

- Monsieur le Juge Albert MALOUF, président de la Commission
- Monsieur Jean DRAPEAU, maire de Montréal
- Monsieur le Concept Inédit
- Monsieur le Superflu
- Mademoiselle Exceptionnelle
- Madame Complexité
- Monsieur Gigantesque
- Monsieur l'Architecte Étranger
- Mesdames les Grèves
- Messieurs du Comité Exécutif
- Leurs Excellences du Gouvernement du Canada
- Leurs Excellences du Gouvernement du Québec
- Messieurs les Responsables Syndicaux
- Madame la Corruption
- Madame l'Inflation
- Madame la Fraude
- Messieurs les Saboteurs
- Messieurs les Voleurs
- Mesdames les Manœuvres Irrégulières
- Messieurs les Jeux Modestes
- Son Éminence le Budget
- Leurs Excellences les Coûts des jeux
- Madame la R.I.O.

Satire

ACTE UN ET UNIQUE

Entre en scène le personnage du greffier.

<u>Le greffier</u>:
- Mesdames, Messieurs, la pièce qui va se jouer devant vous, ce soir, n'est ni une pièce policière, ni une tragédie antique, ni une comédie de boulevard, mais une tragi-comédie contemporaine avec enquête policière.

Monsieur le Juge entre en scène.

<u>Monsieur le Juge</u>:
- Notre mission n'a pas été aisée, elle a même été très difficile. Le manque de témoins, soit pour cause de décès ou de disparition, soit par crainte de représailles, par intérêt personnel ou par manque de conscience sociale, est regrettable.

Beaucoup de rumeurs ont circulé dans le public sur une infinité d'irrégularités qui ont été commises en regard des Jeux Olympiques.

J'ai reçu beaucoup de gens pour les infirmer ou les confirmer.

Et puis, vous, le Gouvernement, avez trop attendu pour cette enquête. Beaucoup de pièces à conviction ont disparu, quand elles n'ont pas fait l'objet de destructions intentionnelles, mais peut-être que les pouvoirs étaient d'accord.

Voilà Mesdames et Messieurs, pourquoi nous n'avons pas pu répondre à l'existence possible de collusion et de trafic d'influences ou de manœuvres frauduleuses ou irrégulières.

Voilà aussi pourquoi nous n'avons pas pu récupérer les sommes fantastiques faisant partie des deniers publics.

Monsieur le Maire, je vous laisserai la parole car pour ne pas vous accuser, il nous eût fallu beaucoup plus de temps pour découvrir la vérité et suivre les directives de la Justice.

Je souhaite que tous ces acteurs que je n'ai pu approcher, vous les fassiez parler.

Entrée en scène de Monsieur Drapeau, maire de Montréal.

Monsieur Drapeau, maire de Montréal:
- À Amsterdam, en 1970, je me suis battu avec acharnement et passion pour obtenir que la plus grande fête mondiale du sport — les Jeux Olympiques de 1976 — se tienne dans notre ville de Montréal. Cette victoire et cet honneur exigeaient de nous que soient réalisés, dans les délais impartis, des équipements qui, après ceux de l'Expo, viendraient mettre en valeur notre grande métropole. J'ai réussi ce pari malgré toutes les oppositions, malgré la mauvaise humeur du ministre Marc Lalonde qui déclara à son ami le premier ministre, P. E. Trudeau : «J'ai une mauvaise nouvelle, Drapeau vient d'avoir les Jeux. On n'a pas fini de passer à la casserole.»

Nous décidâmes, comme l'avaient fait avant nous Munich et Mexico, de nous attacher à offrir aux dix mille athlètes de ces Jeux un accueil chaleureux, raisonnable, personnalisé, mais sans faste inutile. Ma déstabilisation commença immédiatement. Il n'y a jamais eu de déficit olympique. Les Jeux de 1976 ont été l'occasion pour les

Satire

gouvernements fédéral et québécois de s'approprier les revenus issus des Jeux et de faire des emprunts pour des raisons de commodité politique, attribuées à l'organisation des Jeux.

C'est cela, le thème central de ma réponse au juge Malouf. Tous les acteurs présents sur scène pourront raconter les autres détails.

N'oubliez pas, spectateurs, que si l'entreprise olympique s'est avérée coûteuse pour les organisateurs, elle a par contre bénéficié aux autres gouvernements. Ils ont trouvé l'excuse nécessaire pour s'approprier des revenus qu'en temps normal, ils n'auraient pas osé exiger.

Pendant toute la durée de cette pièce, je demande au spectateur de juger lui-même si déficit il y a, et si les emprunts réalisés l'ont été pour des fins autres que l'olympisme.

Nous, Ville de Montréal, avons payé notre part, et si un jour la facture est définitivement acquittée, le Stade et tous les équipements appartiendront à la Ville.

Son Excellence du Gouvernement du Québec, Monsieur René Lévesque, intervient.

Monsieur René Lévesque:
- Dites-moi, cher ami, quand vous étiez à Québec autour de la table avec vos collaborateurs, c'est bien Monsieur Bourassa qui a tenu à ce que tout le Parc olympique revienne à la Ville?
Monsieur Drapeau:
- Oui, mais le ministre des Finances, ami des entrepreneurs, voulait que ces équipements restent propriété du Gouvernement du Québec.

Monsieur Lévesque:
- Eh bien, Monsieur le Maire, ils sont encore dans les mains du Gouvernement, avec l'invention de la dette éternelle.

L'Architecte fait son entrée.

L'Architecte:
- Je vois que dans la politique, Monsieur le Maire, vous avez des hommes fins et qui vous ont proprement avalé. Car je pense, en relisant l'article du *Devoir* dont on perçoit l'honnêteté entre chaque ligne, que le peuple du Canada doit connaître la vérité, qu'il s'agisse des revenus fiscaux ou des économies réalisées par l'assurance-chômage. Le Gouvernement fédéral a plus que largement récupéré son présumé investissement.

Jean Drapeau: (*il parle fort*)
- En ce qui concerne le Gouvernement québécois, il a lui aussi largement bénéficié de la manne olympique sous forme de rentrée fiscale, d'économies budgétaires, d'accès élargi aux loteries, taxes olympiques, taxe sur le tabac; la récupération approche les deux milliards de dollars.
(Il se tourne vers le juge Malouf)
Très Honorable Juge, pourquoi n'avez-vous pas retrouvé tous ces millions? Cela vous éviterait d'attaquer mon intégrité. Quand vous serez là-haut, excusez-moi de vous en parler déjà, vous verrez que je suis du très bon côté. Regretterez-vous tous ces acteurs que vous mettez en scène? Même Monsieur le premier ministre René Lévesque ne partage pas votre conclusion, et je crois qu'il a raison, même s'il fut contre moi pour la tenue de ces Jeux.

Satire

Je fus soutenu dans cette mission par Monsieur Roger Taillibert.

Ce dernier, ayant une connaissance parfaite du monde sportif, avait réalisé, au moment où je pris contact avec lui, de nombreux équipements sportifs.

La Ville de Montréal lui confia la conception architecturale du Parc olympique.

Mais le voici d'ailleurs qui me rejoint. Il est Français, donc pour vous, «étranger». Je vous laisse la parole, cher Maître.

L'Architecte Étranger:

- Monsieur le Juge, je n'avais pas de mission définie par le Comité Éxécutif de la Ville de Montréal, alors que tous les professionnels étaient servis.

Comment pouvez-vous me mettre en cause dans le problème de l'augmentation des coûts? Ne serait-ce pas que «le maudit Français» était le bouc émissaire idéal?

Vous me mettez en cause sur les coûts, sur le non-respect de l'intégrité de l'œuvre, sur l'impossibilité de réagir sur le chantier.

Vous n'avez d'ailleurs pas relevé que l'Ordre des architectes du Québec, souhaitant vérifier ma nationalité, m'a fait passer un «examen de Français», ce qui est un acte xénophobe.

Je me présente devant vous tel un acteur aux multiples visages: Monsieur l'Architecte, certes, mais également Monsieur «Superflu». Je vous prie donc de bien vouloir entendre le Monsieur Superflu que je suis...

Je maintiens que les matériaux utilisés, béton, carrelages, sièges en plastique de couleur, etc., n'ont rien à voir avec les fastes et les ors des palais gouvernementaux.

Est-il «superflu» de veiller à la sécurité des athlètes et des spectateurs, à la bonne visibilité, au confort, aux moyens sanitaires et aux flux de circulation?

N'oubliez pas, Monsieur le Juge, que quatre-vingt mille spectateurs, plus dix mille athlètes et huit mille journalistes du monde entier étaient accueillis, ce qui représente la population d'une grande ville.

J'oserai, par conséquent, vous demander votre définition du mot «superflu».

En effet, leurs Excellences du Gouvernement d'Ottawa n'attaquent pas le maire Drapeau pour son imagination; ils font même amende honorable pour le retard apporté au vote du projet de loi sur l'autofinancement (juillet 1973). «Nous avons pénalisé le Maire, disent-elles, mais étant donné les succès financiers, nous aussi avons perdu à cause de ce retard. De surcroît, nous avons encaissé, grâce au travail de tous les acteurs de cette pièce, d'énormes taxes que nous avons partagées avec Québec. Le produit de ces taxes fut exceptionnel, voire «superflu».

Je voulais dire à son Éminence le Budget, qui se tient dans les coulisses et peut m'entendre, que ses caisses ne seront pas remplies si la capacité des équipements ne répond pas à la demande... superflue.

Je rends maintenant la parole à mon double.

Monsieur l'Architecte Étranger:

- Merci, Monsieur Superflu; nous avons obéi aux demandes des Fédérations, et même réduit leurs prétentions.

Je crois avoir compris que c'est la ville de Montréal qui recevait les Jeux Olympiques en 1976, et non... Chicoutimi.

Satire

J'ai tenu compte de ce flot de plus de cent mille personnes, et il n'y a pas eu de crue.

Tous les présidents des fédérations nous ont félicités et remerciés pour les équipements de ces Jeux.

Je ne suis pas d'accord avec le Juge Malouf, car sa conclusion ne peut être sérieuse. Les bases de ses analyses sont incomplètes: il le dit, l'écrit, le répète.

La seule phrase acceptable de ses propos a trait à la dépense considérable et à l'énergie importante qu'il a fallu déployer pour obtenir un demi-succès.

Mais pourquoi n'expliquez-vous pas, Monsieur le Juge, la raison pour laquelle les responsables techniques ne voulaient pas terminer ce projet?

C'est LA question. Peut-être une réponse apparaît-elle dans les documents disparus. Un juge de votre compétence devrait donner cette réponse au peuple. Je m'inscris en faux contre la culpabilité de Jean Drapeau, voire celle de l'Inédit.

Il est certain que vous, vous avez cherché la «simplicité» avec cinq millions de dollars d'honoraires qui, d'après vous, n'étaient pas suffisants pour cette Commission.

Aucun reproche de «malhonnêteté» à notre égard n'a été prononcé.

L'Architecte sort de scène.

Entrée de Mademoiselle l'Exceptionnelle, accompagnée de Monsieur l'Inédit.

Mademoiselle l'Exceptionnelle:

- Je suis la maîtresse de Monsieur l'Inédit. Nous vivons ensemble depuis fort longtemps; nous parlons d'amour dans la langue de Molière ou de Shakespeare. Mon amant, je l'ai choisi parce qu'il était unique, et ce fut pour moi une très grande découverte.

Monsieur l'Inédit:
- Monsieur le Juge, vous vous trompez dans votre choix de ce mot bien français. Le béton brut, réservé aux prisons, ne peut être qualifié de cet adjectif que vous analysez dans votre rapport avec tant de brio.

Regardez autour de vous dans la ville, l'inédit existe rarement.

Quant à Madame la Complexité, qui nous a rejoints, peut-être est-elle, comme le suggère Jean Baudrillard «une femme de mauvaise vie que l'on associe à la séduction», car complexité et séduction s'opposent à l'idéologie de la transparence.

La complexité d'un lieu ne peut pas être «exposée», mais tout au plus suggérée.

Cela m'amène à dire que l'architecture n'est pas libre, de même que les hommes, qui justifient leur présence par l'irrespect de leur propre identité, démontrent que leur libération intellectuelle n'est pas accomplie.

Le fait que l'on taxe un ouvrage de «complexe» dans un sens péjoratif, démontre très clairement que l'architecte n'est pas libre. Regardez la monotonie de la plupart des villes américaines. La complexité s'est suicidée en laissant la place à l'opérationnel, réaliste et financier.

Entre en scène à grandes enjambées Monsieur Gigantesque.
Monsieur Gigantesque:
- Je suis l'acteur le plus vulnérable dans cette pièce bien que d'après le dictionnaire Larousse, je sois «fantastique,

Satire

monumental, grand.» Je suis aussi le résultat des exigences des fédérations auxquelles Monsieur l'Architecte Étranger s'est conformé.

Des personnages tenant des banderoles entrent en scène:

Mesdames les Grèves:
- Tous les hommes nous sont attachés et nos chefs sont nos véritables défenseurs. Nous aimons le sport, et quand tous ces messieurs nous ont écoutées, eh bien! nous avons, avec tout notre cœur et avec de l'argent, bien sûr, fait notre travail pour que les Jeux aient lieu à la date prévue. Nous remercions la R.I.O. qui a compris notre mission et nos besoins.
C'est à votre tour, Messieurs les Saboteurs!

Messieurs les Saboteurs:
- Nous sommes toujours au travail et nous aidons fidèlement nos sœurs les Grèves. Parfois il est très important de faire, défaire et empêcher de réaliser. Voilà notre pouvoir; il est fructueux, mais toujours organisé pour obtenir un partage équilibré entre puissances politiques et économiques.
Nous pensons que notre travail sur le chantier du Parc olympique fut parfaitement exécuté et répondait à un programme planifié pour faire partir le Maire de Montréal de ce site, comme le souhaitaient les autorités supérieures; vous savez, les «ficelles du pouvoir» ignorent les frontières.
Et vous qui entrez en scène furtivement, pourquoi êtes-vous si prudents?

Messieurs les Voleurs:

- En ce qui nous concerne, nous sommes connus depuis longtemps. Notre organisation est bien utilisée; nous obtenons des rendements hors budget appréciables et appréciés par tous les maîtres d'ouvrage, les entrepreneurs, les coordonnateurs et les gérants de travaux. Nous avons fait notre travail avec notre flotte de camions, toujours pleins à l'entrée comme à la sortie du chantier. Beaucoup de profits, mais ceci tout le peuple le sait, et ça se répète de bouche à oreille. Nous avons rendu beaucoup de services; nous sommes le S.A.M.U. d'une société inégale.

Mais qui voyons-nous venir vers nous?

Qui est cette charmante personne?

Madame la Fraude:

- Je suis la Fraude, l'ombre et la lumière, la tempête dans un verre d'eau... Non, en réalité, je suis l'associée inconditionnelle de mon amie Madame la Corruption. Nous allons toujours ensemble au Salon des Recettes. Les Ficelles du Pouvoir nous connaissent, mais Dieu nous a rendues invisibles.

Présentez-vous, Madame l'Inflation, je vous en prie.

Madame l'Inflation:

- Me voici devant vous, hommes de lois, chers spectateurs. Je suis la fille de toutes les erreurs du monde économique, celle qui rôde dans tous les pays. Grâce au pétrole, je règle la vie du globe; tant pis pour vous si vous ignorez mon caractère et mon agenda. Choisissez vos dates... Je sais que je vous ai coûté cher, mais il en va ainsi à l'ère planétaire.

Approchez, approchez donc.

Satire

<u>Madame La Corruption</u>:

- Merci... Je suis très connue et appréciée, presque comme une star. On me fait la cour. J'ai démontré que des constructions en béton étaient un luxe; qu'une toiture en métal du type hangar était complexe; que ce toit ne fut pas exécuté parce qu'il était un modèle exemplaire qui ne m'aurait pas permis de réaliser mes exploits: Monsieur l'Inédit et sa maîtresse n'utilisent que des matériaux de pauvre.

Mes complices ont tout fait pour essayer de torpiller Monsieur l'Architecte Étranger et sa toiture mobile... Dommage, il était Français, et je connaissais bien sa langue… Hélas, il n'a rien compris.

Mais j'aperçois des personnes avec lesquelles j'ai beaucoup d'affinités.

Entrent Mesdames les Manoeuvres Irrégulières.

<u>Mesdames les Manœuvres Irrégulières</u>:

- Nous sommes des femmes respectables. Pourquoi nous accusez-vous, alors que vous n'avez pas inquiété Madame La Corruption et toutes ses complices? Nous avons fait notre travail habituel, mais quelle belle année, 1976! Nous avons toutes regardé vers le ciel, car la Providence nous a aidées. Quelle belle aventure ce fut, la construction de ce Parc olympique!

Pendant qu'elles se parlent, Monsieur le Maire et Monsieur le Concept Inédit reviennent. Ils se serrent la main.

<u>Monsieur Drapeau</u>:

- Ah! Monsieur le Concept Inédit, je vous avais oublié. Vous êtes parmi les plus grands acteurs de cette pièce, car vous nous avez démontré que les constructions en matériau «du pauvre», de même qu'une toiture métallique ou textile, représentaient le summum du luxe. Vous êtes très fort, mais je vous le dis tout de suite: personne ne vous a cru.

<u>Monsieur le Concept Inédit</u>:

- Non seulement ces éléments ne sont pas inédits, mais ils sont d'une banalité voulue. Je ne pense pas que des parkings soient inédits. Pourquoi ces procureurs attaquent-ils?

Pour le funiculaire, ils ont raison, mais c'est le meilleur rapport financier du Stade; il permet aux visiteurs de contempler la ville, offrant ainsi, je pense, une «attraction de pauvre».

Entre Madame la R.I.O.

<u>Madame la R.I.O.</u>:

- Excellences, membres du Gouvernement du Québec,

Votre représentant, l'honorable Dr Goldbloom, remercia le maire Drapeau et ses services pour l'admirable travail de préparation qu'ils avaient fourni: ceci a permis de monter le «Meccano» en neuf mois et de faire resplendir, sous le seul nom du Docteur Miracle Golbloom, les adjectifs d'Inédit et d'Exceptionnel. Quelle puissance, la politique!

Nous avons fait beaucoup de tort à Jean Drapeau.

Satire

Pour le XXᵉ anniversaire du Parc olympique, nous ne l'avons pas invité, car nous aurions été mal vus par les autorités supérieures.

Et puis nous devions détruire son œuvre, à commencer par le Vélodrome. Monsieur Bourassa nous en donna l'ordre, mais nous fûmes largement aidés par le maire actuel, en changeant sa destination sportive.

Nous savions que Jean Drapeau était furieux de ces transformations, mais nous, R.I.O., grâce à ce changement, nous avons supprimé cette subvention d'un million par an à la Jeunesse, alors que maintenant la Ville supporte un budget dix fois plus élevé. Nous n'y sommes donc pour rien.

Le sport ne nous intéresse pas, je vous l'ai déjà dit.

Demain, nous évacuerons le base-ball, car selon les exigences des uns et des autres, la toiture devait être soit mobile, soit fixe.

Quant à Monsieur Taillibert, il était trop proche de Monsieur Drapeau. Nous ne pouvions écouter ses propos techniques car nous aurions été obligés de faire intervenir de nouveau tous les acteurs qui viennent de jouer la pièce si brillante des Jeux. Que resterait-il de notre dette éternelle?

Jean Drapeau nous a donné un équipement unique au monde. Ceci, nous l'avons entendu des millions de fois de la bouche de nos visiteurs. Cependant, devant la puissance politique agissante, nous ne pouvons rien faire, sauf en profiter.

Son Éminence le Budget entre en scène.

Son Éminence le Budget:
- Si je suis interrogé à huis clos, j'oserai relater mes malheurs, survenus malgré toutes les précautions prises

auprès d'Ottawa ou de Québec, qui avaient donné leur accord. Mais pourquoi diable ne m'ont-ils pas prévenu que vous alliez faire entrer sur cette scène Mesdames la Fraude, la Corruption et les Manœuvres Irrégulières, avec Monsieur André Desjardins dans les coulisses, en montreur de marionnettes!

J'ai reçu de la Ville deux cent quatorze millions; par l'autofinancement qui s'est poursuivi, nous avons maintenant dépassé les deux milliards de dollars; je n'ai donc pas de déficit. J'ai dû nourrir d'autres budgets: le coût élevé qu'a signalé le juge Malouf, j'en connais les causes, mais sur cette scène leurs auteurs ne sont pas venus.

Je remercie Jean Drapeau car il fut l'architecte de la fierté des Canadiens dans leur grande majorité, que ce soit pour les cérémonies d'ouverture ou de clôture où il fut ovationné avec une ferveur exceptionnelle.

Monsieur le Juge Malouf a eu tort de rendre responsable cette personnalité qui fut, pendant trente ans, l'image du Canada.

En ce qui me concerne, je n'ai aucun reproche à lui faire parce qu'il m'a permis de remplir mes caisses.

Encore merci, Monsieur le Maire.

Par contre, à propos des coûts, exigeons surtout du Rapport Malouf des détails sur la vérité occulte, car le peuple a soif de la connaître.

Comment voulez-vous qu'avec tant d'invités imposés, je puisse résister à la gourmandise collective suscitée par de telles agapes, distribuées sans restriction, de surcroît.

Monsieur le Juge Malouf, je vous ai toujours été fidèle, mais comment vous suivre? Vous invitez toujours tous les acteurs à vos audiences. La loi est équitable et nous la

Satire

respectons, même sur la scène internationale. Je fais mon devoir: connaître une vérité, construire cette vérité s'il le faut, et imposer cette vérité — tant pis pour Monsieur le maire.

Je ne subis jamais les contraintes politiques, je suis indépendant. D'ailleurs, les médias et les journalistes ne diffusent que la vérité. Vous entendez bien, la vérité. La seule vérité. Ce sont des gens très honnêtes, et qui se préoccupent du peuple, payeur de taxes.

Monsieur le Maire:

- Je vous remercie, Monsieur le Juge, d'avoir tenu cette audience en pleine période électorale. Je pense que j'obtiendrai, malgré tout, un très bon résultat.

Je vous rappelle que vous avez pris un risque en poursuivant vos auditions. En effet, vous avez entendu résonner le Stade. Sa voix fut monumentale, celle du peuple qui venait à mon secours, avec Madame Exceptionnelle.

Avant que nous ne quittions tous les deux cette terre, pourriez-vous regarder dans vos dossiers ou faire appel à votre greffier. J'aimerais tellement obtenir les documents concernant mon mandataire coordonnateur et mon gérant de travaux, ceux qui furent égarés par le Comité Éxécutif de la Ville. J'ai encore beaucoup de choses à vous dire, mais seulement à huis clos. Je vous remercie à l'avance.

Monsieur Drapeau se tourne vers Monsieur René Lévesque.

Monsieur Drapeau:

- Très cher ami, j'avais bien dit que mon élection serait fantastique: cinquante-deux conseillers sur cinquante-quatre. Vous avez raté ma punition et oublié les vrais acteurs, ceux que vous m'avez présentés sur la scène. Je le regrette vivement car nous aurions alors connu la vérité.

Monsieur René Lévesque, premier ministre, reprend la parole.

Monsieur René Lévesque, premier ministre:
- Nous qui avons tant travaillé avec Madame la Fraude, Madame la Corruption, Madame l'Inflation, ainsi qu'avec les respectables syndicats, et qui avons aidé le Concept Inédit, nous affirmons que, sans nous, la gigantesque ovation que vous avez recueillie n'aurait pas eu lieu. Vous voyez aussi que même les grèves et les sabotages furent utiles, Monsieur le Maire. Toujours la vérité ... Mais nous n'avions jamais prévu dans notre budget tous ces acteurs, ni votre brillante réélection.

Entrent en scène Leurs Excellences les Coûts des Jeux.

Leurs Excellences les Coûts des Jeux:
- Nous apparaissons sur la scène tardivement, mais nous apportons de bonnes nouvelles.

Nous avons commencé la préparation des Jeux avec trois cent dix millions de dollars. Nous avons terminé le projet à un milliard, avec la participation de tous les acteurs. Aucun ne nous a abandonnés. C'est une victoire. Ensuite, Monsieur le maire Drapeau, nous avons dû vous quitter, et alors là nous demandons une séance à huis clos, car vos successeurs ne nous ont pas contrôlés: ils ont pourtant gardé les mêmes acteurs.

Souvenez-vous, vous les avez tous présentés: Madame la Fraude, Madame la Corruption, Mesdames les Grèves,

Satire

Madame l'Inflation. Ils ont disparu de la scène. Monsieur Superflu fait quelques interventions auprès des médias, pour dire «Je me souviens».

Nous avons été les empereurs du site olympique, mais maintenant le toit de notre temple nous cause quelques problèmes.

Savez-vous, Très Honorable Juge, que nous avons acheté un toit américain et que la neige passe à travers!

Quel dommage que votre départ précipité ne nous ait pas permis de remettre en place une véritable commission qui aurait facilité la compréhension du peuple.

Intervention de Messieurs du Comité Exécutif.

Messieurs du Comité Exécutif:

- Nous demandons la parole, car Monsieur le Juge Malouf ne nous a pas interrogés à huis clos. Il est vraisemblable que Monsieur Jean Drapeau n'a pas dit tout ce qu'il savait. Oui, notre Président, sous l'impulsion de l'éminence grise du Gouvernement du Québec, Monsieur Paul Desrochers, ou sur la recommandation de notre directeur des Travaux publics, Monsieur Niding, a signé tous les contrats des professionnels; c'était son métier. Monsieur le Juge a démontré dans ses audiences qu'une maison a surgi de terre pour l'en remercier. C'est exact, et pour la somme modique de cent soixante mille dollars, à Bromont... Nous sommes loin du milliard que vous recherchez.

Bien sûr, Paul Desrochers avait signé les contrats de Desourdy-Duranceau, de Lavalin et de Régis Trudeau, mais c'est Desourdy qui avait la haute main, car nous avions entière confiance dans l'éminence grise.

Par contre, Monsieur l'Inédit, nous l'avons barré avec le mandataire coordonnateur. Comme il ne travaillait pas avec les Ficelles du Pouvoir, il était impossible d'avoir confiance en lui. Ce monsieur n'intéressait d'ailleurs pas l'éminence du Comité Exécutif; notre devoir était donc de le contrecarrer.

Monsieur le Juge, vous aviez raison: six mois avant l'arrivée du médecin, ces personnalités (mandataire et directeur des Travaux publics) tenaient des réunions secrètes dans la maison d'été de Monsieur Robert Bourassa, et il ne semblait pas nécessaire d'en rendre compte à Monsieur Drapeau.

Maintenant vous avez dit la vérité. Ceci est bien noté dans vos rapports.

Entrent en scène Leurs Excellences du Gouvernement d'Ottawa.

Leurs Excellences du Gouvernement d'Ottawa:

\- Nous, hommes politiques, suivions avec intérêt le grand développement des Jeux, et la chute de Monsieur Drapeau était pour nous importante — nous l'avions trop aidé pour l'Exposition universelle — et l'Ouest nous le reprochait.

Nous devons remercier, avant la fin de cette représentation, Monsieur l'Inédit et Madame l'Exceptionnelle. Quelle belle opération! L'Inédit ne nous a rien coûté, et le nombre de personnages que les ennemis de Montréal et de Québec ont créés provoqua un succès sans précédent. Le Canada est enfin reconnu dans le monde entier. Il est devenu un modèle.

Satire

Encore merci, Jean Drapeau, pour votre pouvoir d'imagination et pour notre grand Canada.

N'oublions pas ce qu'a dit le Juge Turgeon: «Il faut que les hommes publics réalisent qu'ils doivent faire preuve d'une grande intégrité dans les postes de confiance qu'ils occupent.»

Le rideau vient de tomber. Jean Drapeau revient saluer trois fois, écrasé par les applaudissements d'une salle comble. Quel succès! Toute l'assistance remercie le juge Malouf d'avoir réussi une aussi belle création.

La salle se vide. C'est le silence du temps qui passe...

Sur la scène abandonnée, une forme majestueuse se dessine en ombre chinoise. Ce n'est pas la Statue du Commandeur... mais Madame la R.I.O., venue hanter cet endroit où furent énoncés tant de propos, parfois véridiques, parfois mensongers. Écoutons ce qu'elle veut nous dire.

<u>Madame la R.I.O.</u>

Nous sommes maintenant la Régie la plus puissante de Montréal. Le sport ne nous intéresse plus.

Nous avons un Stade Inédit qui nous fait une grande publicité, mais nous sommes tristes car nous avons perdu les acteurs de la construction.

Monsieur l'Inédit n'est pas revenu, nous l'avons oublié... bien qu'il ait souhaité collaborer avec Kenneth Johns.

De nouveaux acteurs mobilisent des sommes énormes, près de deux milliards de dollars. Nous sommes riches, vous savez, Monsieur le Maire. Vous avez eu tort de quitter ce site. Nous savions que c'était une bonne affaire, et nous la garderons. La loterie, la monnaie, les taxes olympiques sont des inventions extraordinaires qui équilibrent financièrement nos recherches de toiture — mobile, puis fixe — puis peut-être mobile à nouveau.

Très Honoré Juge, nous avions hérité de la ville de Montréal des bribes et des morceaux de l'usine de béton précontraint, Shockbéton, et de la Division du Parc olympique de la ville de Montréal, mais nous avons ruiné la santé de Jean Drapeau. Ce fut la liberté et l'intégrité aux prises avec l'irrationnel politique: nous en avons fait, avec le Dr Goldbloom, un chef d'œuvre en neuf mois: voilà la réussite. Aucune commission d'enquête ne peut nous attaquer...

Un vacarme de vociférations et de cris vengeurs interrompt Madame la R.I.O.

Le vacarme:
- Nous sommes les nouveaux personnages de la pièce. Nous ne voulons plus faire les figurants invisibles. L'auteur nous a dit que nous allions avoir nos textes. Nous voulons que le Juge Malouf revienne nous donner la réplique. C'est maintenant que la vraie Commission va pouvoir se jouer! Ma-louf! Ma-louf! Ma-louf!...

Le rideau tombe sur la foule qui scande le nom du juge.

Tableaux chiffrés

Prévisions d'autofinancement

Prévisions du service de la dette

1976
Produits financiers prévisionnels des jeux

129	en	1976-77
246	en	1977-78
200	en	1978-79
176	en	1979-80
100	en	1980-81
105	en	1981-82

956		
53	en	1983

----

1 009

Voici un tableau significatif. Malheureusement si les ressources ont été épuisées avant cette date, il faudra trouver d'autres moyens.

La taxe sur le tabac a rapporté 1 744 946 $. Cette somme fut utilisée sur d'autres budgets. C'est la raison pour laquelle aujourd'hui la dette reste constante à 400 millions de dollars. Ceci est dû à un prélèvement constant qui a augmenté chaque année et conserve sa stabilité à cette dette perpétuelle.

En 1982/1983, tout devait être payé. Ce produit financier relevait de l'impôt volontaire. Par contre les ressources de Loto Canada démontrent un arrêt brutal de participation.

RÉGIE DES INSTALLATIONS OLYMPIQUES
PRÉVISIONS DES REVENUS SPÉCIAUX ET DU SERVICE DE LA DETTE
(EN MILLIONS DE DOLLARS)

	1976/77	1977/78	1978/79	1979/80	1980/81	1981/82	1982/83
Emprunts par la Régie	658	137					
A - Service de la dette							
Amortissement	85	194	154	143	80	92	47
Intérêts sur les emprunts	+ 44	52	46	33	20	13	4
	129	**246**	**200**	**176**	**100**	**105**	**51**
B- Sources de revenus							
Loto Canada	54	108	108	80			
Taxe spéciale sur les tabacs	+ 75	88	92	96	100	105	51
Vente d'actifs		50					
	129	**246**	**200**	**176**	**100**	**105**	**51**
Sommaire							
Emprunts	658	137					
Solde reporté		573	516	362	219	139	47
Intérêts	44	52	46	33	20	13	4
	702	**762**	**562**	**395**	**239**	**152**	**51**
Montant remboursé	- 129	**246**	**200**	**176**	**100**	**105**	**51**
Solde	573	516	362	219	139	47	

Source: Gouvernement de la province de Québec
Discours sur le budget de 1976-77, 11 mai 1976

Remerciements posthumes

- Monsieur Jean Drapeau, ambassadeur, maire de Montréal

- Monsieur Robert Bourassa, premier ministre du Québec

- Colonel Marceau Crespin, directeur et ministre des Sports en France

- Monsieur René Barjavel, écrivain français

- Monsieur René Huygues, critique d'art de l'Académie française

- Monsieur Jean Michel, journaliste du quotidien *Le Monde*

- Monsieur Jacques Dupire, conseiller technique du maire Jean Drapeau

- Monsieur Simon Saint-Pierre, membre du C.O.J.O.

- Monsieur Charles Roy, directeur du cabinet de Jean Drapeau

- Monsieur Pierre Charbonneau, ami et promoteur des Jeux Olympiques de Montréal

- Monsieur André Daoust, architecte en chef de Montréal

- Monsieur Lord Killanin, président du C.I.O.

- Père La Sablonnière, ami du sport

- Monsieur Paul Desrochers, homme de confiance de Monsieur Bourassa

- Monsieur Jean Autin, chef de cabinet d'André Malraux

Remerciements

- Madame Marie-Claire Drapeau, épouse de Jean Drapeau

- Maître François Godbout, juge, ancien ministre de la Jeunesse au Québec

- Monsieur Michel Lucien, délégué général du Québec en France

- Monsieur Yves Michaud, ami de longue date de Monsieur Jean Drapeau

- Monsieur Claude Phaneuf, ingénieur, responsable des Jeux Olympiques de la ville de Montréal

- Monsieur Raymond Cyr, ingénieur, passionnément engagé dans la construction des Jeux Olympiques de la ville de Montréal.

- Monsieur Fernand Bibeau, entrepreneur, représentant Sockbéton, qui contribua à la réussite des Jeux.

- Monsieur Claude Charron, ancien ministre de la Jeunesse et des Sports au Québec

- Monsieur André Mogaray, inspecteur général du Corps des Ponts et Chaussées (Expert international désigné par Monsieur le ministre J.P. Chevènement)

- Monsieur Jean Roret, expert international, qui analysa les erreurs de l'entreprise Lavalin concernant le toit mobile.

- Madame Monique Berlioux, secrétaire du Comité olympique, qui encouragea toujours le maire Jean Drapeau

- Monsieur Pierre Mazeau, ancien ministre des Sports en France, grand ami du maire de Montréal

- Monsieur le Juge Gonthier qui, par son jugement exemplaire, ouvrit la porte à la vérité

- Monsieur l'ingénieur Cassonday, expert international, qui seconda Monsieur Jean Roret dans l'étude technique de la toiture Lavalin (ancien professeur de l'École Polytechnique de Zurich)

Remerciements

- Monsieur Henri Charpentier, journaliste, auteur de *100 ans d'Olympisme*

- Monsieur Bernard Landry, vice premier ministre d'État du Québec, admirateur du Stade

- Monsieur Laurent Fabius, ancien premier ministre en France, qui intervint dans la mise au point des honoraires de l'architecte

- Monsieur Lucien Saulnier

- Monsieur l'ancien premier ministre en France, André Mauroy, qui désigna son ministre J.P. Chevènement pour intervenir dans ce dossier trouble où la technologie française était controversée

- Monsieur Jean-Pierre Chevènement, qui désigna Monsieur André Mogaray pour découvrir la vérité dans le dossier Lavalin.

- Aux nombreux ingénieurs, architectes et dessinateurs de la ville de Montréal qui ont œuvré pour la réussite des Jeux

- Mademoiselle Gadoury qui assista Monsieur Jean Drapeau dans toutes ses difficultés

- Parmi tous mes collaborateurs, ceux qui furent exemplaires d'efficacité :
- Monsieur Louis Billotey, ingénieur de l'École Polytechnique de Paris, directeur et coordinateur de notre bureau d'études T.A.A.A.
- Monsieur Jacques Demonte, architecte coordinateur
- Monsieur Martin Staub, architecte suisse
- Monsieur Bernard Clavelin, architecte
- Monsieur Georges Rabant, architecte

- Tous mes nombreux collaborateurs, moins impliqués par leurs fonctions mais aussi dévoués : dessinateurs, secrétaires, etc...

- Monsieur Pierre Xercavins, camarade de promotion de Monsieur Billotey, directeur d'Europes Études

- Monsieur Gérard Ruot, ingénieur, qui fut le responsable du dossier du Vélodrome

- Monsieur Roger Robert et Monsieur Puisségur, ingénieurs, véritables artisans de la construction du Stade

Remerciements

- Monsieur Charles Arthur Duranceau, entrepreneur québécois et ami véritable du maire de Montréal

- Monsieur Jerry Snyder, ami de Monsieur Jean Drapeau et membre du Comité exécutif, un des responsables de la réussite des Jeux Olympiques

- Monsieur le Sénateur John Lynch-Staunton, soutien discret et véritable ami de Monsieur Jean Drapeau

- Tous les nombreux membres du Comité exécutif qui soutinrent le Maire

- Monsieur Maurice Herzog, membre du Comité olympique international, ami et admirateur de Jean Drapeau

- Monsieur Mohammed Mzaly, membre du Comité olympique international qui soutint Jean Drapeau et admirateur du Maire

- Monsieur Joe Havelanche, membre du Comité olympique international, président de la F.I.F.A., ami et admirateur de Jean Drapeau

- Monsieur Pierre Elliott Trudeau, ancien premier ministre du Canada, ami du sport et de Jean Drapeau.

- Monsieur Jacques Chirac, président de la République française, qui fut l'ami personnel de Jean Drapeau

- Monsieur Raymond Barre, ancien premier ministre en France et ami personnel de Jean Drapeau

- Monsieur Jean-Philippe Lecas, ancien ministre de la Culture en France

- Monsieur Gilbert Gantier, député français, ami personnel de Jean Drapeau

- Monsieur Brian Mulroney, ancien premier ministre du Canada, ami et défenseur des sports

- Notre ami Walter Siber, conseiller sportif de Jean Drapeau, du C.I.O. et de la F.I.F.A.

- Monsieur Claude Lefebvre, ingénieur dont l'éfficacité a permis de clore ce dossier

Remerciements

- Monsieur André Tétrault, président honoraire de la R.I.O.

- Monsieur Adrien Berthiaume, membre de la R.I.O. pendant vingt ans, qui lutta pour démontrer la vérité à tout le Conseil d'administration

- Monsieur James Warold, membre du C.I.O.

- Monsieur Dick Paund, membre du C.I.O.

- Monsieur Harodd Wrigth, président du Comité olympique canadien

- Monsieur Gilles Blanchard, journaliste sportif du journal québécois *La Presse*, qui rechercha la vérité pendant vingt ans sur ce dossier

- Monsieur Pierre Maisonneuve qui, par ses émissions télévisées, voulut comprendre la vérité

- Messieurs Pierre Pascaud, Gilles Proux et Richard Desmarais, journalistes canadiens qui cherchèrent à démontrer la vérité dans leur émission radiophonique *Lignes ouvertes*

- Monsieur Rémi Maillard, écrivain, journaliste, directeur des communications de Tourisme Hochelaga-Maisonneuve, qui me donna d'excellents conseils pour ce livre.

TABLE DES MATIÈRES

Lettres posthumes à mon ami Drapeau

Table des matières

Table des matières